CLÓVIS DE BARROS FILHO

EPAMINONDAS

O GATO EXPLICADOR

Epaminondas

3ª edição: Dezembro 2022

Autor:
Clóvis de Barros Filho

Revisão:
Vitor Donofrio (Paladra Serviços Editoriais)
e 3GB Consulting

Projeto gráfico e capa:
Jéssica Wendy

Fotos:
Marina Lorenzi Monteiro de Araújo

DADOS INTERNACIONAIS DE CATALOGAÇÃO NA PUBLICAÇÃO (CIP)

Barros Filho, Clóvis de
Epaminondas : o gato explicador / Clóvis de Barros Filho. —
Porto Alegre : Citadel, 2022.
240 p. : il.

ISBN 978-65-5047-140-8

1. Ficção brasileira 2. Gatos – Ficção I. Título

22-1385 CDD B869.3

Angélica Ilacqua - Bibliotecária - CRB-8/7057

Produção editorial e distribuição:

CITADEL Grupo Editorial

contato@citadel.com.br
www.citadel.com.br

CLÓVIS DE BARROS FILHO

EPAMINONDAS
O GATO EXPLICADOR

CITADEL
Grupo Editorial

2022

Sumário

1.

Gaveta do meio

Epaaaaaaaaaa!

Imagine se precisa gritar desse jeito. Como se eu não tivesse ouvido todos os outros chamados. Sempre que vão sair de casa, ficam horas assim, se esgoelando.

Não diga nada a eles. Estou escondido na gaveta das meias. A do meio, justamente. Entre a das camisetas e a outra, que guarda de tudo.

Eu sempre inovo no esconderijo. Mesmo sabendo que não precisaria de tanto para confundi-los.

Afinal, são humanos. Observação e detalhes nunca foram o forte de nenhum deles.

Ainda mais quando estão apressados, como esses meus aqui de casa, todas as manhãs. Ficam atabalhoados e entram numa espécie de transe.

Tenho um casal de humanos. E não digo por serem meus, mas são lindos. Falarei mais sobre eles, por certo.

Já são adultos de autonomia e responsabilidade. Jovens adultos. De corpos rijos, cútis estendida ao natural, sem cosmética nem intervenções.

Amam-se ainda, pelos dias que vos falo. Amor que tinge — com as cores de sua palheta sem par — a beleza feiticeira daquele magnífico casal. São meus humaninhos e sempre os tomei por deslumbrantes. Isso há oito anos. Estão comigo desde que decidiram viver juntos.

> Estou evitando a verdade, que soará por certo ungida de pretensão. Mas fui eu a uni-los.

Embora não fossem ricos, revestiram o enlace de uma solenidade à altura de seus afetos. Compareceram muitos, mas muitos deles. Era ainda bem jovem na ocasião, e me perdi em meio a tantas pernas, finamente cobertas com os melhores tecidos. E pensar que fora eu a autorizar toda aquela horda de membros.

Como sempre, contemplava o mundo de baixo para cima. A partir do rés do chão. E, portanto, posicionado mesmo a cavaleiro para constatar quanto aqueles corpos, oferecendo o melhor de si, davam início ali mesmo aos rituais de reprodução da espécie.

Os padrinhos, cada um tinha escolhido o seu.

Ela, a melhor amiga de infância. Que sempre lhe oferecera seu mais desinteressado apreço, desde os tempos de escola.

Ele, o chefe do momento.

E isso diz muito sobre os dois. Sobre o que os separava desde então. Mas que poderia uni-los ainda mais, se soubessem valorizar a riqueza do complementar. E a complementação pelo diferente.

Humanos raramente conseguem alcançar, com pureza d'alma e peito sem escudo, esse valor de vida. Temem tudo que lhes pareça desviante. Tão angulosa a dificuldade que, nos dias que correm, fizeram da diversidade tema para especialistas, congressos e livros.

No momento de ajoelhar aos pés do sacerdote, a minha humana, conferindo a cada gesto uma delicadeza ao mesmo tempo singela e majestosa, transbordava de júbilo. Na madrinha, uma lágrima destemida salgou-lhe os lábios.

Já o meu humaninho, sempre mais previsível, sem conseguir se desvencilhar da tirania dos olhares, agia com espontaneidade mal fingida, tentando fazer graça como podia. E podia muito pouco. Do padrinho um gesto de incentivo, com o polegar em riste.

Hoje, oito perus natalinos depois, um ou outro flerte com amigas e colegas de trabalho e uma paixão que sangra em senoide pelo professor de história da sobrinha, afirmo com alguma convicção que eles ainda se dão muito bem.

E saem de casa todos os dias juntos. Daquele jeito atormentado. Vitimados por um desassossego de alma que sempre me despertou compaixão.

Já naquela cerimônia, refletia sobre o que ainda hoje povoa minhas divagações:

— De quantos milhões de anos os humanos ainda precisarão para arrebentar as correntes e os grilhões das paixões tristes que os afligem e os escravizam?

2.

Escorregador untado de medo

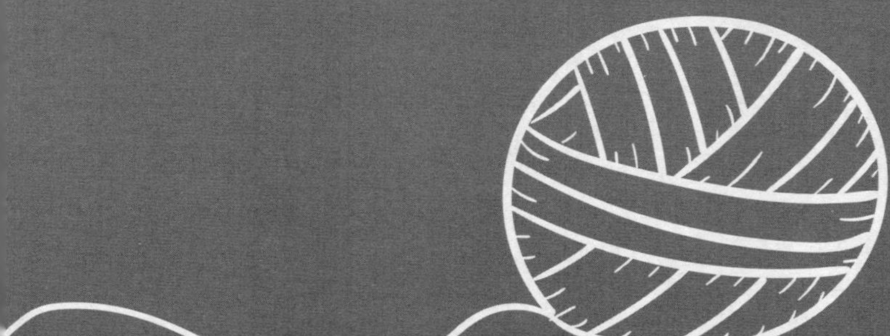

Saíram. Ufa.
Hoje eles estavam
particularmente irritantes.

Por mais que nós, gatos, vivamos em ataraxia, isto é, quase imperturbáveis, esse quase é por conta deles. Reconheço que tudo seria muito diferente se, no lugar de humanos, eu tivesse optado, como sugerido na loja, por uma paca ou uma lontra para me fazer companhia.

Homens e mulheres cativam pela
fragilidade, mas comprometem
gravemente nosso sossego.

Nesse labirinto caótico das suas emoções, eu não tenho dúvidas em afirmar que o medo assume o protagonismo de um minotauro.

Primeiro eu achava que, na alma de humanos, temores e esperanças brincassem de gangorra. Ora um, ora outro dando as cartas e pautando a vida.

Para você entender melhor essa alegoria da gangorra:

Caiu um avião. O evento já ocorreu. Bem como suas consequências. Mas você, com um ente querido naquela aeronave, ignora o paradeiro dele.

As notícias vão chegando em conta-gotas. Encontraram a aeronave. Houve vítimas fatais. Nem todos os passageiros morreram. Não há uma lista completa dos sobreviventes. E a cada nova notícia, o medo da fatalidade e a esperança da sobrevivência sobem e descem na gangorra de uma alma que flutua na ignorância, na incerteza.

Mas isso era o que eu pensava antes.

Depois, observando melhor, e conservando a alegoria do parquinho de diversão, acho mesmo que esses afetos brincam mesmo é de escorrega.

Pobres humanos. Deslizam, agarrando-se, pelo escorregador untado de medo, assistindo ao distanciamento acelerado da esperança, que, de lá de cima, acena fria e sorri imóvel.

Nós, gatos, somos ótimos observadores.

E o comportamento desses bichinhos humanos que tenho dentro de casa me interessa muito. Hoje posso garantir que entre seus medos e suas esperanças há tudo, menos equilíbrio. Essa assimetria fica estampada em suas fisionomias crispadas, tensas e desfiguradas, quase o tempo todo.

Medo mesmo.

Alguns deles chamam de temor. Quando mais acentuado, de terror. Medo de tudo que poderiam vir a sentir, se os catastróficos acontecimentos que povoam suas mentes — bem como suas nefastas consequências — de fato acontecessem.

Medo de chegar atrasado, do que os outros vão pensar, do que vão dizer, do que farão em represália; medo de ficar doente, de sofrer no hospital, de não poder trabalhar; medo de perder o emprego; da pobreza, de o dinheiro não dar, ou de não entrar a tempo ou de perder o que foi poupado; medo do abandono, do desdém, da solidão, do amor não correspondido e de não corresponder; medo de morrer.

E tantos outros, mas tantos outros medos, que se eu fosse um humano proporia com urgência uma educação essencialmente voltada para o combate dessa paixão tão corrosiva, que lhes paralisa, imobiliza, tolhe, acanha, humilha e termina por matar.

Que pelo menos se dessem conta de que a causa desse sentimento tão ruim não é nenhum mundo concreto que estejam encontrando, encarando, enfrentando etc.

Que entendessem de uma vez por todas que todos os seus temores mais destrutivos advêm da própria imaginação. Tudo aquilo que eles próprios supõem possa lhes acontecer.

Claro que algum deles sempre defenderá o óbvio: muitos dos pensamentos que amedrontam se impõem, brotam na mente. Não pedem, portanto, licença para se instalar e raramente decorrem de um ato de vontade.

Alguns dirão que ninguém sente medo porque quer. E, talvez, tenham alguma razão. Fica difícil para mim, que só os observo de fora, saber exatamente até onde poderiam lutar contra todos esses pensamentos tão destrutivos.

Mas de algumas coisas estou seguro.

Humanos podem direcionar suas mentes para atividades escolhidas pela vontade. Eu os observo com atenção. Por mais atormentados que estejam, conseguem dirigir seus esforços de inteligência para essa ou aquela tarefa.

Desse modo, enquanto estão resolvendo uma equação de segundo grau, costumam ter a mente povoada pela aplicação das fórmulas que permitem chegar ao resultado.

Ora, quando suas mentes se encontram de fato preenchidas, não há espaço, naquele instante ao menos, para outras preocupações. Desse modo, algum controle pode haver sobre conteúdos da mente que amedrontam.

Suponho que seja também por isso que alguns poucos desses humanos se dedicam a preparar suas mentes por intermédio de programas de meditação. No nosso entender, esses programas representam a iniciativa humana mais avançada de apaziguamento da alma com vistas a uma vida menos atormentada e mais harmônica.

Aliás, se suas mentes estivessem sempre, isto é, o tempo todo mesmo, povoadas pela vida vivida, pelo mundo efetivamente encontrado, não haveria temor de nenhum tipo.

Tristes humanos. Sofrem por dentro. Dilaceram-se em pensamentos e pelo temor por eles desencadeados. Sem que, em muitos casos, nada, absolutamente nada em volta justifique tamanha devastação.

Graças aos humanos, em especial a alguns que se levam mais a sério e são cheios de certezas, constatamos que para ser uma criatura superior não basta habitar a Terra por muito tempo.

3.

Amarga a existência

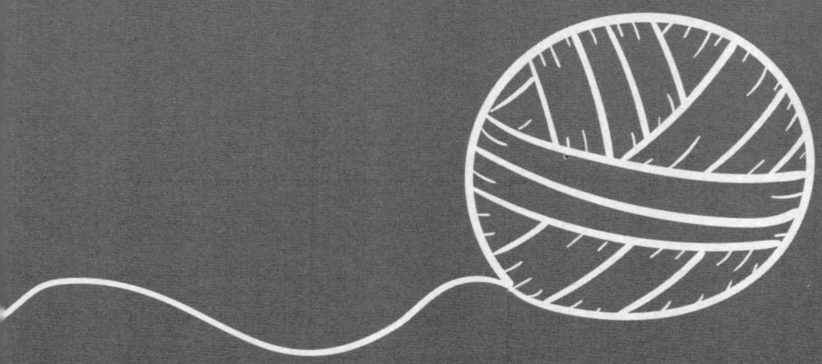

Não podemos negar. Alguns humanos sempre se esforçaram para combater o medo. E, assim, ajudar os outros a fazê-lo também.

Isso por entenderem que esse sentimento, ou afeto, como alguns deles gostam de dizer, arruína suas vidas, amarga a existência, impedindo, em definitivo, uma vida boa.

Faz todo o sentido, como dizem por aí.

O mais curioso é que muitos desses humanos, tidos justamente por mais lúcidos, elegeram o medo da morte como o pior de todos.

Por que eu disse que era curioso?

Porque se o medo, como asseguram muitos deles, tem a ver com a incerteza sobre a ocorrência temida, poderíamos pensar que fossem correlatos. Temor e incerteza. Ou diretamente proporcionais, como querem os mais exatos.

Desse modo, quanto maior a incerteza a respeito do que tememos, maior o temor. A redução desse último, portanto, dependente de mais certezas, de mais conhecimento sobre tudo aquilo que supomos possa acontecer e que não queremos que aconteça.

Ora, essa correlação não parece funcionar para o caso do medo da morte. A incerteza sobre perder um emprego, por exemplo, é muito maior do que a incerteza sobre o fim da nossa própria vida ou de qualquer outro vivente.

De fato.

No caso de uma demissão, humanos que estão empregados não podem ter certeza a respeito da sua ocorrência. Muitas vezes os indícios são enganosos. As surpresas negativas de final de ano que o digam.

Tampouco, claro, podem estar seguros a respeito de quando, como e por que o evento se produzirá.

E o mesmo acontece com todos os outros eventos temidos, como traições, rupturas de amizades, desagravos amorosos, divórcios, enfermidades, dores em geral, demências etc.

Já no caso da morte, as incertezas são notadamente menores.

Para começar, sua ocorrência é certa. Resta só saber quando. O como e o porquê, na hora do último suspiro, perdem importância. E mesmo o dia e a hora exata, diferentemente dos exemplos acima, podem estar sob o controle do vivente.

Admitamos juntos. A incerteza é mesmo muito menor.

Por isso, não entendo por que escolheram a morte como a rainha dos temores.

Sendo mais preciso: não entendo o diagnóstico de que as divagações sobre a morte sejam a causa maior dos medos humanos.

Essa escolha lhes obrigou a passar boa parte de suas filosofias a tentar enfrentá-lo, reduzi-lo, ignorá-lo, deslegitimá-lo e até destruí-lo.

Se fizessem como nós e não dessem bola, não chamassem a atenção para essa finitude, apresentando-a como devastadora, se simplesmente vivessem enquanto há vida, poupariam dois constrangimentos: o de temer o fim e o de filosofar para combater esse temor.

Mas, pelo contrário. Vangloriam-se, batendo no peito, serem os únicos a ter consciência dessa finitude.

Bem, suponho que voltaremos a pensar juntos sobre esse assunto.

São raros a perceber que o mais interessante da finitude não se encontra encaixotado, no centro das salas de velório, cercado de genuínos saudosos e ardilosos estrategistas sociais, dividindo seus odores de cadáver com o das flores de ocasião.

O que realmente intriga na finitude é a morte em vida. É o deixar de ser esfregando-se, o tempo todo, com o vir a ser. Não dando brecha para algum ser respirar um pouco.

— Nunca mais — repete à exaustão o papagaio do escritor.

E com razão.

Sem alguma eternidade resistente ao fluxo, só mesmo o velório permanece, impávido. Assistindo Cronos devorar seus filhos, átomos circularem esbarrando-se, agregando-se para logo se desagregarem novamente, planetas girando em velocidade espantosa, agourando suas estrelas em explosão ininterrupta.

Pensando bem, no caso deles, os humanos, não poderia ser diferente. Afinal, desde miúdos aprendem a vincular a vida feliz a um tal de "para sempre". Assim terminam suas histórias. Assim começam seus projetos.

A felicidade do antes e do depois só pode mesmo existir para eles se não acabar nunca. Sua interrupção ou extinção determinam a sua completa negação.

Se for para ser feliz só até amanhã, não quero. Não precisa nem vir. Prefiro começar a ser triste desde já.

4.

Raridade de mosca branca

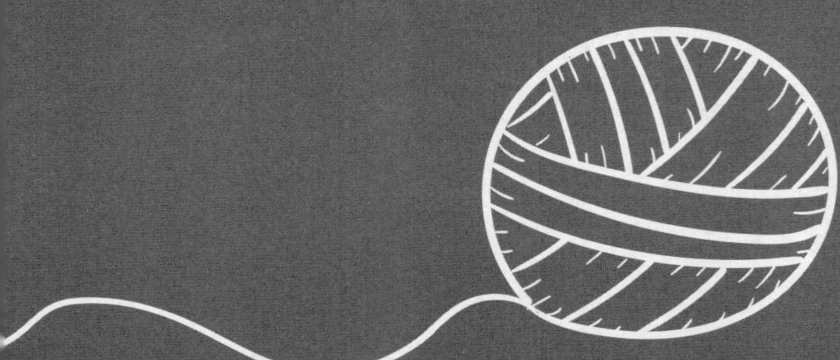

O que é o mundo para um humano?

Os humanos têm um modo muito particular de relação com o resto da realidade. Para começar a conhecê-la, são dotados de cinco sentidos e de consciência.

Comecemos pelos primeiros. Os sentidos.

Como é óbvio, não dão conta de tudo. O mundo se apresenta em fragmentos. Mundo percebido aos pedaços. Não poderia ser diferente. Os campos visuais, auditivos, olfativos, táteis e palatais definem aquilo que, do mundo, o homem consegue perceber numa experiência concreta de vida.

Fenômeno é, como chamam alguns, esse tanto de mundo percebido num certo instante. O modo como o mundo se oferece à percepção humana.

Falaremos mais sobre isso, com certeza.

— E essa consciência? — você me pergunta.

Funciona como uma chancela, também seletiva, ao que os sentidos capturam por aí.

— Como assim, chancela seletiva?

Venha comigo que vamos acabar nos entendendo.

Quando eu digo seletiva, quero dizer que algo na cabecinha deles seleciona, em meio a tudo que foi captado por olhos, narizes, ouvidos, bocas, dedos etc., os fragmentos de realidade de que terão consciência. E que o resto fica de fora.

Assim, por exemplo, eles podem, ao ver alguma coisa, ter consciência do que viram, ou não. E o mesmo para ouvir, cheirar, tocar e degustar.

— E por que chancela?

Porque quando o estilhaço de mundo, que estimula os sentidos de um humano, se converte em sua consciência, ele acredita ter — repito, apenas acredita ter — alguma certeza sobre a existência desse mundo. O que lhe traz uma segurança, falsa segurança talvez, nessa sua relação com o mundo.

A palavra chancela indica autorização e aval, mas também garantia. E, portanto, aporta essa tal segurança. O uso do vocábulo faz pensar nas formalidades e oficialidades dos documentos.

Essa tal de consciência dos humanos é algo de muito misterioso para quem os observa de fora como eu. Está claro que eles têm consciência de muito do que lhes acontece. E que não têm de um outro tanto ainda maior.

Não estou falando aqui de deixar de ver as coisas. Mas de vê-las e não se dar conta de tê-las visto. Tanto que, de vez em quando, humanos, de relacionamento antigo e intimidade entre si, gritam uns com os outros:

— Estava aí na sua cara o tempo todo, como foi que você não viu?

Alguns deles são mais propensos a esse descolamento entre a percepção e a consciência dela. Tanto que há gírias para designar o fenômeno.

E, de novo, alguém adverte alterado e levantando a voz:

— Presta atenção, moleque! Vai andando pela casa que nem um zumbi e derrubando as coisas.

O uso de drogas também pode afetar a consciência.

Os termos usados variam muito em função da classe social a que pertence o usuário. Eles podem desde estar de boa, relaxando, em êxtase, até estar chapados ou noiados.

Aliás, uma legião de noias — terminologia de desprezo usada pelos que se drogam em suas casas próprias —, completamente excluída do mundo social, discriminada, rejeitada, aviltada, humilhada e sem esperança, povoa as ruas das suas grandes cidades.

Costumam receber das autoridades de Estado, humanos como os primeiros, com o aplauso raivoso de seus eleitores e apoiadores, também humanos, um tratamento mais indigno do que o recebido pelos rebanhos de gado de corte, que são *commodity*, e ainda valerão, um dia, pelo peso da carne sacrificada.

Registrem-se as louváveis exceções.

Voltemos à consciência na sobriedade. E a esse delta ou distância entre mundo percebido e a consciência dessa percepção.

Eis uma grande fragilidade dessa espécie. Nem sempre estão onde estão, ou se encontram onde nós os encontramos.

Eu sempre digo:

Aqueles que desejam ter um humano como animal doméstico, atraídos sobretudo pelo preço — mais em conta se comparado ao de outros animais mais bem resolvidos — e pelo tempo de vida — só perdem em média de anos para os jabutis —, precisam ser informados pelo vendedor dessas e de outras particularidades, digamos, desencorajantes.

No meu entender, essa consciência que os humanos dizem ter, ou não ter, não é propriamente uma coisa, um objeto de posse. Não se trata de uma coisa. Tampouco de um lugar onde se acumulam registros de experiências.

Trata-se de uma "atividade do espírito", ou da "vida do espírito", como alguns deles, mais evoluídos, gostam de dizer.

— Que tipo de atividade? — você pergunta.

Vou tentar enumerar algumas.
Sem pretensão de ser exaustivo, claro.

A consciência é pensamento que se percebe como tal, tenha sido ele já pensado no passado ou esteja em vias de sê-lo.

Por exemplo:

Tenho consciência de que, neste preciso instante, estou a pensar a respeito da consciência dos humanos. Como também tenho consciência de que ontem refleti sobre seus apegos e desapegos. Sobre quanto podem ser diferentes nesse quesito.

Assim, enquanto alguns, com os pés bem fincados na pobre areia, elevam-se, alçando lindos voos de espiritualidade, outros, capturados à revelia por uma grua do acaso, precipitam-se de lá de cima em direção ao chão, na busca ávida de migalhas, chafurdando nos bueiros da indignidade.

É sentimento que também se percebe como tal, seja porque já sentido outrora, seja por se encontrar em vias de sê-lo.

Assim, tenho consciência da compaixão que sinto pelos meus humaninhos, cujas vidas são amiúde derretidas pelo micro-ondas de angústia em que se veem forçados a vivê-la.

Tenho também consciência da dor, quando me chutam, na distração ou no escuro. Bem como da ternura, quando os acolho no sofá para ver televisão comigo.

Consciência também é percepção de mundo que se percebe como tal. Como a consciência de estar percebendo o incremento da intolerância na relação entre os dois humanos do meu casal.

É ação que se flagra agindo. Como a consciência que tenho dessa inédita dificuldade para defecar por conta da mudança de alimentação racionada.

Não adianta. O que me faz bem mesmo são as iguarias úmidas e de preço elevado. Inveja dos franceses, gatos, claro, cuja boia joga um campeonato à parte. Não tem pra ninguém.

Aliás, tenho um organismo que desmente, em cada palavra, essas sabedorias de alma, que recomendam simplicidade a todo custo.

Desse modo, para ter consciência de uma coisa pela percepção, de uma ideia pelo pensamento, de uma ação pelo flagrante de si no mundo, é preciso alguma consciência — ainda que turva, pisoteada ou passando batida — dessa consciência.

Não necessariamente em abstrato, como consciência só de consciência. Mas consciência da consciência da árvore, consciência da lembrança consciente do último Natal ou da última ida a São Vicente de ônibus.

Ah, um parêntese. Não estranhe as longas enumerações.

Nós, felinos, às vezes não nos damos conta da extensão de nossas repetições. Mas, como talvez já tenham se dado conta aqueles que nos observam de fora, não nos importamos muito em repetir a mesma operação milhões de vezes.

O tédio, para nós, é raridade de mosca branca.

5.

Adelaide morreu!

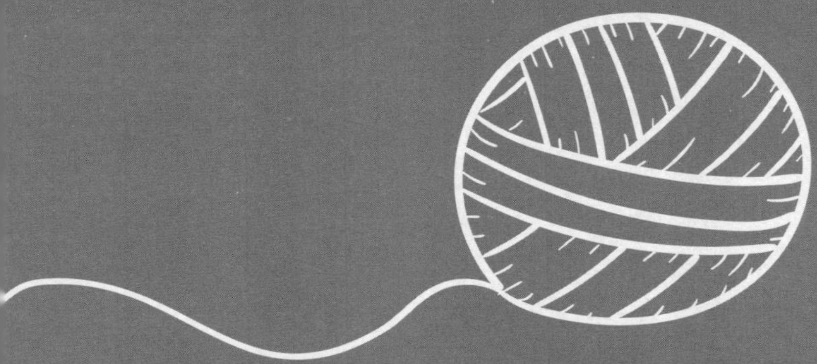

Ainda sobre a consciência
dos humanos.

Estava aqui entretido
com os meus bigodes.

Humanos usam a palavra *co*laborar para algum labor feito por mais de um; *co*operar para referir-se a uma operação realizada por mais de um; *co*abitar quando aludem a dividir habitação; *co*rrupção para rupturas do tecido social levadas a cabo por mais de um.

Falam também em *com*paixão, *con*sentimento, *com*partilhamento, *con*fusão, e assim por diante. Em todos esses casos há mais de um envolvido. Concluímos rasteiramente que esse "co" como prefixo indica alguma pluralidade na ação indicada no resto da palavra.

Ora, e a palavra consciência? Será que a presença do referido prefixo também está a indicar ciência com mais alguma coisa?

E se for esse o caso, o quê, exatamente?

Bem. Vamos vasculhar juntos sem medo de retornar ao mais elementar. Se colaboração indica labor realizado por mais de um indivíduo, bem como cooperação, coabitação etc., o mesmo não procede para consciência.

Ninguém usa essa palavra para se referir a dois ou mais cientistas num laboratório. Tampouco a um grupo deles apresentando um único trabalho em congresso. Ou a um artigo científico com vários autores. Nunca dois físicos em produção cocientífica ganhariam o prêmio Nobel.

Logo, se há pluralidade nessa consciência, não é de indivíduos.

Eu sei, eu sei.
Você já está impaciente.

Afinal, dá a impressão de não termos saído da chamada estaca zero.

Mas não é verdade. Descartar possibilidades é parte importante de todo trabalho de investigação. E nós, gatos, nunca temos pressa. Ansiedade não é fragilidade nossa.

E, aproveitando:

Essa mania de querer tudo pronto, mastigado e na hora é um traço de grande infantilidade, compartilhado por muitos animais. Não se desapegaram esses últimos do estado de satisfação anterior ao nascimento. E passam a vida querendo voltar para dentro da barriga da mamãe. Ou para dentro do ovo que lhes deu calor, abrigo e proteção.

Alguns mamíferos e ovíparos padecem desse mal.

Por outro lado, muitos outros já se elevaram desse estágio primitivo de impaciência. Gatos, claro, porque têm instintos perfeitamente ajustados a cada fase da vida. Além de conseguir distinguir "dentro" e "fora", desde as primeiras horas de vida, com grande facilidade.

Até mesmo alguns humanos,
só alguns, mais evoluídos,
foram aprendendo,
com muito esforço e meditação,
a dar tempo ao tempo.

Por isso, esses, e só esses, não se deixam perturbar com uma eventual falta provisória de definição.

Há muito tempo, consta que um tal Sócrates — que, a despeito da feiura, era um dos mais gatos entre os humanos — ficava horas dialogando sem que, necessariamente, a conversa lhes trouxesse alguma verdade. E não se frustrava com isso, suponho.

Voltemos então à consciência.

Se não se trata de pluralidade de indivíduos, busquemos, então, no interior da alma de algum deles, algo que justifique ciência acompanhada do prefixo "co" ou, no caso, "cons". É aí que encontraremos mais de uma ciência.

Vou arriscar uma hipótese. Que, como o próprio nome indica, é inferior a uma tese. Está abaixo dela. Por se tratar apenas de uma suposição. Preliminar. Carecendo sempre de comprovação.

E você me diz se acha pertinente.

Dizíamos que para justificar o "cons" da consciência precisamos encontrar alguma pluralidade. E que, nesse caso, não era de pessoas cientistas. Pois bem.

Veja o uso da palavra ciência nesta frase:

— Tomei ciência do passamento de sua avó Adelaide e manifesto aqui meus sentimentos.

O sentido da palavra ciência nessa frase é "estar informado de" alguma coisa. Adelaide morreu.

Neste curto diálogo entre dois amigos, viajando juntos, caminhando pela orla marítima de uma cidade conhecida pela violência:

— Acho que estamos sendo seguidos.

— Eu tô ligado. Vamos atravessar a rua e entrar naquele bar.

Esse "eu tô ligado"
está no lugar de
"estou ciente disso".
Que corresponde também
a "dar-se conta".

No caso de Adelaide, a ciência coincide com simples informação. Que não requer do informado nada além de se dispor a ouvir ou ler o que estão a relatar. O caso do assalto é um pouquinho diferente.

A ciência do perigo iminente exigiu um estado de alerta, flagrantes enviesados de mundo, que poderiam perfeitamente não acontecer.

Dito isso, vamos à minha hipótese.

Com base nos sentidos das frases acima, entendo que haja na consciência duas ciências diferentes.

A primeira é a ciência do mundo. De um pedaço dele. Ciência de algo. Da morte de Adelaide. Do assaltante. Da árvore lá fora. Do gato, dono da casa, não querendo ser incomodado. Do machinho dela roncando. Da femeazinha dele tomando uma ducha. Da ração francesa úmida na travessa de louça.

A segunda ciência é de si próprio. Que costuma ser apenas indireta. Subjacente.

Você, bastante intrigado,
vai perguntar alguma coisa.
Posso sentir.
Por isso me antecipo.

Se há alguma ciência do mundo, no sentido de saber que o mundo existe, como no caso do passamento de Adelaide ou do assaltante, deve haver para essa ciência um cientista. Isto é, o seu titular. Aquele que está informado ou a par daquilo. Aquele que se deu conta de alguma coisa.

Ter ciência da árvore lá fora exige a ciência de quem tem a ciência da árvore lá fora. Temos aqui, portanto, duas ciências. A da árvore e a de si mesmo que tem ciência da árvore. Com duas ciências na mão, chegamos finalmente a uma consciência.

Que tal?

E assim, essa consciência seria, tal como eu a vejo, uma atividade que implica a ciência de si e de algo mais.

Por isso diz-se sempre ter consciência "de alguma coisa". Alguns humanos de fina cepa dizem que toda consciência é intencional. Cheia de boas e más intenções. Por se encontrar sempre inclinada para o mundo. Dependendo dele para se realizar.

Na gramática, quando convertida em verbo, nunca será infinitiva. Ter consciência e ponto final. Mas sempre transitiva. Porque remete a um predicado que lhe é exterior.

Mas a ciência da árvore lá no jardim não se confunde com a árvore lá no jardim, de cuja existência, sem consciência, os humanos, pobres humanos, poderiam bem duvidar.

A ciência da árvore no jardim requer, portanto, ciência de si. Só essa permitirá a primeira.

Toda consciência de um humano indica sempre ciência dele próprio no mundo. Mas não só.

Ciência dele próprio e de mais
alguma coisa. Sempre.

Em suma. Não pode haver ciência — de nada — sem consciência.

Bem, já chega.
O esforço foi grande.
Ficou bonito de dizer.

Mas, como sempre, eles próprios, os humanos de quem aqui estamos a falar, seguirão seus cotidianos de pouca ou nenhuma reflexão.

E eu, mesmo que quisesse, não teria meios de comunicação para alertá-los de nada. E se os tivesse, não estou certo de que entenderiam o que estou a cogitar. E, mesmo que entendessem, não veriam ligação alguma com suas vidas práticas, escravos que são do valor da utilidade.

Agora, com licença
que eles já se foram.

Batendo a porta em estrondo.
Um acusando o outro a respeito
de quem teria tido a infeliz ideia
de viver na casa de um gato.

Animal introspectivo, que só dorme, alheio a tudo e a todos e que, sobretudo, não faz festa quando chegam, como faziam os poodles, na casa de quem viviam antes.

6.

Time reserva

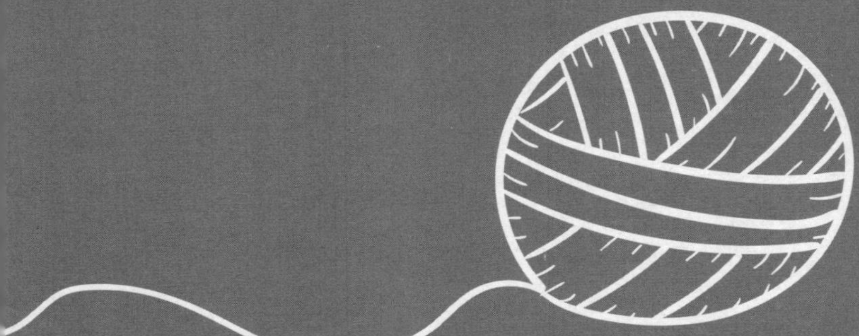

Humanos só se situam a partir do que não estão vendo. Só conseguem flagrar o que se encontra ante seus olhos escorados em duas muletas.

A primeira é a retenção grudenta do que já acabaram de ver e remanesceu na visão. O estímulo do mundo já se foi mas segue ali, na percepção preguiçosa. Estágio intermediário entre o encontro com os corpos e a lembrança imaginada deles.

A segunda muleta é a antecipação presumida e arriscada do que estão na iminência de divisar.

Para os humanos, o presente do mundo das coisas e dos corpos — no qual acreditam estar vivendo — não passa de síntese entre o passado e o futuro. Entre lembranças visuais de mundos já encontrados e antecipações do que presumem estar prestes a ver.

Por isso, humanos convertem, em suas estranhas mentes, fotografias estanques em filme, em vídeo, em movimento. O que estão a ver arrasta ilusoriamente consigo o que acabaram de ver e o que ainda estão por ver.

Em cada instante de mundo percebido, eles colam fragmentos de memória — de coisas e corpos que acabaram de deixar a cena, noutros, que ainda estão na antessala do espírito, esperando para entrar no palco, para integrar, enfim, o espetáculo de suas percepções.

Às vezes acho que estou sendo muito rigoroso na minha análise sobre eles. Mas veja, os humanos dependem tanto daquela memória e dessa antecipação que acabam não desenvolvendo habilidades básicas de percepção efetiva das coisas.

Por exemplo:

Para conseguir ver alguma coisa, não podem estar no escuro.

Acham que estou exagerando?

Acreditem em mim. Humanos não conseguem ver nada, absolutamente nada, senão na presença de luz.

Tampouco toleram luz demais. Basta um feixe mais incisivo e o mundo volta a lhes escapar. Em suma, se a tal da luminosidade não estiver muito no jeito, ficam às cegas.

Como diz o poeta: aquela luz
que havia em cada ponto de
partida há muito me deixou.

Chega a dar dó.

Imaginem um mundo ou uma realidade, como alguns gostam de chamar, que vai, para nós, gatos, do zero ao cem. Pois bem. Para um humano de visão normal, o mundo vai só de 40 a 60.

E o mais interessante. Tomam isso pelo todo. Ainda que alguns deles, com mais ciência, insistam em denunciar a pobreza de seus recursos para perceber.

Para ouvir os ruídos do mundo, a dificuldade é a mesma. Quase tudo fica do lado de fora. Abaixo ou acima do liminar, como eles dizem.

E aí, coitados, ficam o tempo todo:

— Dá para baixar esse volume?!!

— Dá para aumentar o som?!!

— Não estou ouvindo nada!!!

Agora, quando o assunto são os cheiros, eu me pergunto se ainda lhes restou algum olfato. Nesse quesito, o bombardeio é impiedoso.

Lembro-me de quando tive que acompanhá-los pelas ruas movimentadas da cidade onde moramos. Alimentos sendo fritos, cozidos, assados em plena calçada, veículos com seus escapamentos, gases naturais, a fragrância de perfumes, desodorantes, colônias, e uma infinidade de outras, tudo junto e misturado. Confesso que até eu, de sensibilidade olfativa delicadíssima e aguçada, voltei para casa atordoado. Carecendo de um momento de higienização odorífica.

Mas eles, meus humaninhos, já abriram mão do mundo cheirado de há muito. Não me estranha que muitos deles não achem graça na vida. Acabam matando ao viver tudo que a torna sutil e, portanto, preciosa.

Só reparam em odores diante de estímulos de gravíssima contundência. Tipo apodrecimento avançado. Quanto ao resto, as fragrâncias mais delicadas passam batidas. Olimpicamente. Sem deixar traço algum. Borrifam anestésicos nas axilas e no pescoço que convertem a infinita riqueza odorífica de seus corpos no samba de uma nota só. Com consequências afetivas devastadoras.

Matam o que os singulariza em nome de cheiros padronizados. E depois não querem se ver facilmente substituídos por quem lhes exala no mesmo diapasão.

Incrível.

Se me perguntarem sobre o tato, só homens e mulheres considerados deficientes visuais conseguem tatear com alguma competência.

Já os demais, obcecados pelo que veem, só reagem esbarrando em chapas incandescentes ou em pedras de gelo.

Cientes dessa pobreza tátil, alguns deles mergulham nas geleiras e entram em seguida em fornos incandescentes — denominados saunas — para "ver se sentem" alguma coisa.

Alguns humanos, mais cientes e, portanto, mais humildes ante todas as possibilidades perdidas dos toques e seus efeitos, apostam tudo no pulsar de suas veias. É só no que acreditam.

E acabam, por isso, tornando-se grandes amantes. Sabem bem que há mundos para além de suas pobres percepções.

Só esses proporcionam orgasmos sem precisar senti-los.

Como podem ver, um esconde-esconde com animais desse tipo permite a nós, gatos, mandar a campo o time reserva, sem receio algum dos deuses da bola, das piruetas do acaso ou de alguma zebra à espreita.

7.

A.B.C.D.

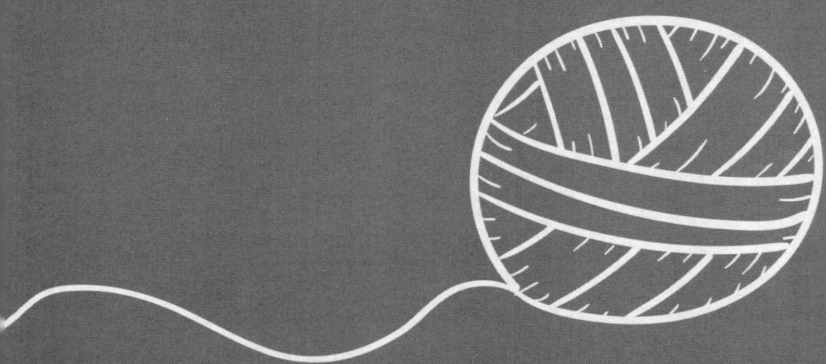

A solidão pode afetar alguns de nós. Sobretudo aqueles menos preparados para a vida. É, portanto, compreensível que busquem alguma solução. Em vez de se entregarem à evolução espiritual e à reflexão mais profunda, saem a comprar o que lhes possa trazer distração.

Mas quando o assunto são os negócios, nós, gatos, nunca agimos por instinto. Sabemos dominar nossos impulsos. Somos conhecidos entre os animais pela prudência na hora de intercambiar recursos.

Na famosa relação custo *x* benefício, ou qualidade *x* preço, humanos podem, sim, ser considerados ótimos A.B.C.D.: sigla que entre nós significa "animais bípedes para companhia doméstica".

A compra e venda desses humanos se dá, entre nós, de forma curiosa.

Permanecemos num local seguro, quase sempre no interior de recintos envidraçados, e os candidatos a viver conosco ficam passando e se fazendo notar. Quando há algum interesse de nossa parte, basta um gesto gracioso e logo se derretem.

Mas, claro, sendo o que são, há que manter os pés no chão e nunca superestimar. Como em qualquer outro segmento, produtos de alta qualidade têm preços compatíveis.

Portanto, nada de viajar na maionese e achar que está levando para casa um carneiro ou um pombo-correio pelo preço de um animal que viola correspondências, não voa nem fornece lã.

Humanos podem ser de relacionamento redondo e previsível. Mas vou logo avisando: nem todos são assim.

Podem chegar a níveis bizarríssimos de esquisitice na hora de interagir entre eles.

Às vezes a cor do pelo é um grande problema. Como a cor dos olhos. Da pele. Tudo isso, acreditem, pode colocá-los em conflito feroz.

Se você comprar um só, não terá esse problema. Mas perderá a chance de ver nascer filhotinhos que são sempre graciosos.

No relacionamento com seus donos, os humores de homens e mulheres podem oscilar muito. Há veterinários — gatos, claro — especializados nessas oscilações. Humanos são muito suscetíveis a perturbações emocionais.

Outro dia conversávamos com um casal de amigos que veio nos visitar. Ela é uma gata com longa especialização em terapia de humanos. Contavam-me sobre esses picos de euforia e depressão. E do quanto isso atrapalha a relação desses bichinhos — doentes da alma — com seus donos.

Dependendo da região de origem, costumam ser irritadiços ante situações irrelevantes, e apáticos, quando o assunto é sério.

Outro aspecto que atrapalha muito é que, segundo nossos estudos mais avançados, humanos acreditam na capacidade terapêutica de alguns dentre eles. São os curandeiros no seu sentido mais estrito.

Quando estudaram um pouco, usam roupas que lhes conferem distinção. Entretêm com zelo uma imagem de abnegação e desinteresse. Sabem que o culto de que são objeto depende muito da legitimidade do coletivo a que pertencem. Por isso, em casos de erro ou desvio moral inaceitável, protegem-se ferozmente uns aos outros.

Sem nenhum olhar legítimo de exterioridade de espécie, condição óbvia para um prudente e necessário recuo metodológico, humanos medicam-se entre si sem pudor. E alguns fazem disso riqueza, acreditem.

Vou insistir nisso porque,
para nós, é realmente inacreditável.

Humanos conferem legitimidade a alguns deles para definir as fronteiras entre o normal e o patológico. Autorizando-lhes, assim, a prescrever processos terapêuticos, pagos a peso de ouro.

Não é à toa que entre eles os tipos de doença se multiplicam ao infinito. Com seus fármacos de última geração.

Com o incentivo entusiasmado das distribuidoras, cujo negócio movimenta milhões, concentrando-se em gigantescos conglomerados, e dos fabricantes, sempre felizes, com ou sem crise.

Santa ingenuidade.

Mas voltemos ao custo x benefício.

De modo geral, com um pouco de educação, humanos podem ser higiênicos. Fazem xixi e cocô numa espécie de vulcão ao contrário, que tem água no fundo. Quando terminam, apertam um botãozinho e a água leva tudo que deixaram ali. Eles mesmos ensinam a operação aos filhotes.

Precisa ver! Que graça!

E tem gato que diz que humanos não são inteligentes. Não se dão conta de que há muitas formas de a natureza manifestar inteligência. E que a nossa reconhecida sabedoria e capacidade de abstração é apenas uma delas.

Esse felinocentrismo às vezes
me aborrece tanto!

Em espaços não residenciais, frequentados por muitos e oriundos de famílias diferentes — diga-se de passagem, eles adoram esses espaços —, também há os tais vulcões com água no fundo. Para uso coletivo. De qualquer um que vier a precisar.

Mas, nesses lugares, o zelo com a higiene pode ser bem menor. Vai depender muito de como e onde esses humanos tiverem sido educados.

Não raro, humanos endinheirados pagam a outros para que lhes faça a higiene. Limpar-lhes os espaços de evacuação, por exemplo. São os animais que mais eficazmente institucionalizam suas hierarquias.

Nessa relação de extrema e humilhante desigualdade, humanos não veem incongruência, com veleidades de hipocrisia única entre seres vivos, de se considerarem iguais em direitos e deveres.

Ah! Para você que não é humano, a frase acima pode não ter feito sentido algum. Essa tal de hipocrisia é mesmo uma particularidade desses nossos simpáticos bichinhos. Não há nada de semelhante entre os demais animais, a não ser na luta pela sobrevivência.

Chamam os humanos hipocrisia esse hábito da vida social de se passar por quem não se é, com vistas a auferir vantagem, quase sempre comezinha e de pífio valor.

Outros animais se camuflam, é verdade. Como humanos em guerra também o fazem. Procuram, com isso, passar por quem não são. Mas nenhum dos senhores, sejam quem forem, confundirá a hipocrisia social dos humanos com esse tipo de camuflagem.

8.

Caçadores de si mesmos

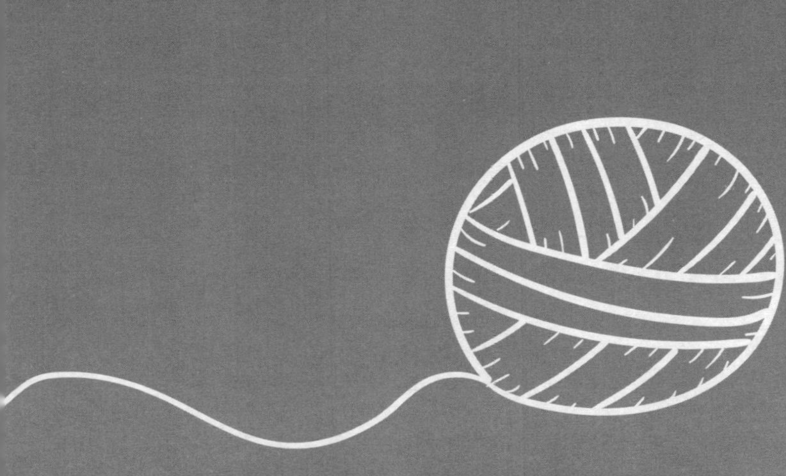

Ah! Ia esquecendo.

Humanos, de um modo geral, precisam sair de casa. E com muita frequência. Para encontrar outros, como eles. Isto é, animais da sua mesma espécie.

Mesmo que isso coloque
em risco suas vidas.

E olha que, em nome dessa necessidade,
eles se arriscam de verdade.
Você não tem ideia.

Vi na TV aqui de casa sobre um vírus que só ataca humanos. Parece que nós, gatos, não estamos na mira, dessa vez. Mas é sempre prudente ficar de olho. Afinal, vírus é vírus. Não creio que tenham nada contra humanos em especial. Instalam-se onde seus parcos recursos vitais lhes indiquem facilidade e prosperidade.

Já terão dizimado milhões de humanos pelo mundo. Chamam a essa devastação global de pandemia.

Só no nosso país, onde as decisões desencontradas das autoridades — pouco dispostas a abrir mão de suas estratégias pessoais — reduziram a eficácia do combate, registram-se mais de 600 mil óbitos.

Para piorar, o tal vírus salta de um indivíduo para o outro só de ficar perto. Contágio é a palavra que usam. Configurando um cenário bem sinistro.

Para se protegerem, como ulula até para humanos, deveriam permanecer distantes uns dos outros, em suas casas, na presença de indivíduos saudáveis. Para os contatos inevitáveis, o uso de máscara que cobre nariz e boca ajudaria sobremaneira na redução desse contágio. Bem como a higiene das mãos com álcool em gel.

Pois bem. Acreditem no que vou lhes contar.

Mesmo ante tamanha gravidade e risco, muitos deles não conseguiam aquietar o próprio facho.

Suicidas. Caçadores de si mesmos.

Desafiavam com o copo na mão, batendo no peito, em arrogante ignorância, um exército de vírus invisíveis que lhes invadia os corpos, fragilizando-os, submetendo-os e matando-os no ritmo e extensão de seu grado.

Em todo o reino animal não há caso semelhante.

Regidos pelo próprio prazer, pelo regozijo individual, só humanos poderiam proceder assim, irresponsavelmente destrutivos de sua espécie.

Peço licença para insistir no tema. Ainda que ofenda o gosto refinado de alguns leitores, pouco afeitos à repetição.

Mesmo sabendo que poderiam morrer e matar, reuniam-se clandestinamente, aglomerando-se em júbilo e fazendo a festa do vírus que os dizimava aos milhares.

Ao mesmo tempo, outros deles lutavam dia e noite para salvar vidas. Enquanto outros ainda anunciavam, em profunda consternação, o número de óbitos nas últimas horas.

Nós, gatos, mais por natureza felina que por educação, mantemos preventivamente, desde o nascimento, protocolar distância entre nós. E isso mesmo na total ausência de ameaça pandêmica.

Mas é claro que também a sabedoria mais que milenar dos nossos antepassados, que nos chega em conta-gotas, na convivência com nossos pais, continua nos ensinando com contrição e respeito: vida boa e saudável não combina com promiscuidade.

A essa necessidade de integrar grandes grupos, junta-se, paradoxalmente, um zelo pelo que não é nem de todos nem para todos. Denominam-no privacidade. E levam tão a sério que fazem disso um direito previsto nos mais altos estatutos legais.

Mas não precisa ir tão longe. No seio das relações domésticas, esse cuidado já se faz notar. Mesmo com animais de outra espécie como eu.

> Quando eles saem, ficam preocupados que bisbilhote em suas coisas.

Não é interessante? Em que medida essas quinquilharias — que só têm valor aos olhos de quem sabe muito pouco sobre a vida — poderiam interessar a alguém como eu, a não ser pelas formas, brilho, movimento e eventual resistência dos materiais?

A privacidade indica limite nas relações com o mundo. Inscreve a existência no interior de um orbital, por onde circulam alguns poucos autorizados.

Toda privacidade, portanto, requer a definição de um dentro e um fora. De incluídos e de excluídos. De hábitos, práticas, pensamentos e sentimentos que se prestam a consumo irrestrito e outros reservados a alguns poucos.

Esse limite, contrariamente ao que pensam muitos, se verifica quase sempre. Se no interior de um aposento com portas fechadas ele é mais que evidente, em qualquer outro espaço, mesmo público, ele também se faz presente.

Toda proximidade ou distância entre corpos humanos parece definida sem requerer muito cálculo, por um certo saber prático, incorporado em anos de socialização, com regras que se interiorizam e asseguram harmonia, sem maestros nem forças policiais. Isso, claro, quando tudo dá certo.

Assim, para terminar estas páginas, ninguém que acaba de ser apresentado ao chefe conserva seu nariz a 3 centímetros de distância do dele.

9.

Barão e baronesa

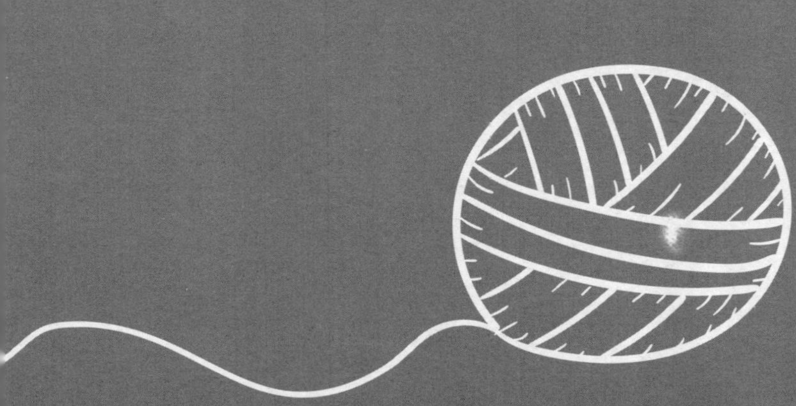

Claro que cada sociedade tem seus metros e centímetros de boa convivência. Sem falar dos erros, transgressões, heresias, bem como das acomodações à personalidade de cada um.

Num parque, por exemplo, se alguém se põe a caminhar muito próximo, causa desconforto e enseja novos caminhos. Num cinema, as cadeiras são separadas por apoiadores de braço, disputados cotovelo a cotovelo. Tal como nas aeronaves.

Nos estacionamentos, há demarcação de vagas. E usa-se o termo invasão em caso de desrespeito. Crianças, brincando, riscam linhas demarcatórias na terra para indicar até onde um e outro podem ir. Casais temporariamente estremecidos erigem barricadas de travesseiros para demarcar seus respectivos territórios no leito conjugal. Nos toaletes públicos há divisórias, ainda que muitas vezes só simbólicas.

Meu machinho conta que, em visita à China, defecou num banheiro público, em condições emergenciais de pouca consistência fecal, servindo-se de fossas sem vaso, que exigiam agachamento radical, dispostas lado a lado, com dois ou três centímetros de distância prevista entre um joelho e outro. Sem nenhum tipo de divisória entre elas.

São outras culturas de evacuação em público. Com constrangimento agudo para ele, estrangeiro. E nenhum para os usuários locais.

Aliás, estes, fazendo lembrar os músicos de uma sinfônica antes do espetáculo, afinando seus instrumentos, quando cada um busca seu melhor resultado, sem preocupações coletivas, deixavam ali seus restos.

Bem. Privacidade, nós, gatos, também temos a nossa. Mas ela é absolutamente instintiva. Regida pela nossa natureza de gato. A mesma, portanto, para todos. Não há nada na nossa convivência pós-nascimento que condicione nossos limites existenciais.

Privacidade, finalmente, nos remete ao adjetivo privado. O mesmo de privação. Se aparentemente são palavras com sentidos nada a ver, um exame mais calmo mostra que não. A privacidade de alguns exige privação para outros. Só essa última assegura a primeira. Não há uma sem a outra.

Tais como as leis em relação à liberdade. São, ao mesmo tempo, sua limitação e sua garantia.

Eu sei que meus humanos não gostam
que eu entre lá onde eles dormem.
E eu entendo. São muito reservados.
Gostam do cantinho deles. Só para eles.

Nessa linha da privacidade, outro termo que alguns costumam usar é o pudor.

O que para nós, gatos, é um simples reflexo, um dado da existência, uma resposta rígida e, portanto, única possível no convívio com o que não nos é íntimo, para os humanos é uma virtude. Isto é, traço de um caráter, de elevação moral, reservado a indivíduos de alguma excelência.

Um recato que se esculpe,
em muitos casos, a duras penas.

Por ser virtude, trata-se de um hábito.

Como todo hábito que se preza, uma vez consolidado, não requer grande força de vontade para balizar condutas. O mais difícil é mesmo consolidá-lo. O que exige educação e, por vezes, enfrentamento das próprias inclinações.

Para você entender melhor. Se, desde pequeno, você foi conduzido a práticas desportivas regulares e habituou-se a exercícios diários, tenderá a acordar amanhã cedo para realizá-los mais facilmente do que outro indivíduo que não tenha recebido a mesma orientação.

Algo semelhante acontece com uma conduta pudorada.

— Quem é regido pelo pudor faz o quê? — você pergunta. — Age de que modo? O que o diferencia de outro indivíduo não dotado dessa virtude?

Pudor é virtude que não mostra. Que evita a exibição. Que abomina a exposição gratuita. Vulgar. Desnecessária. Fútil.

Pudor pode ter a ver com humildade, quando o que se esconde é entendido por virtuoso também.

Para ser virtude, o pudor pressupõe uma inclinação, frequente entre humanos, em sentido contrário. Isto é, de tudo querer mostrar, exibir, expor. Fazer-se alvo das atenções a qualquer preço. Propor-se como atração ou espetáculo.

Pudor é virtude que permite se proteger e proteger o outro.

Em alguns casos, pode ter a ver com a decência. Sendo, em relação a essa, mais delicada, sutil e nobre. Decorre menos da coerção externa que da própria consciência, menos da convenção que do princípio moral, menos do medo que do entendimento, menos da maledicência que da discrição.

Sobre pudor, ocorreu-me anedota que vale o registro. Trata-se do Helinho, humano do meu vizinho, velho e bom amigo Aristides.

O infeliz fez-se operar após uma infecção no apêndice. O corte na lateral do baixo ventre supurou. O tratamento foi custoso. E Helinho exibia seu troféu para quem fosse e onde estivesse.

Eis que num desses crepúsculos outonais de baixa hora, com temperatura já fresca para a estação, a humana baronesa Lorenzetti, acompanhada de seu marido, o barão Issler, o encontra num restaurante em plena São Clemente.

Observo, desde já, que o relacionamento entre eles não ia além de um par de encontros aqui mesmo, na minha casa em Laranjeiras.

E não é que o Helinho cismou de abrir paletó, suspender camisa, arrear calça para converter seu corpo mutilado em homenagem à repugnância e ao escárnio?

De suprimir o apetite até mesmo da mais alta nobreza. Que, por sinal, costuma se alimentar à altura.

10.

Tônico dos deuses

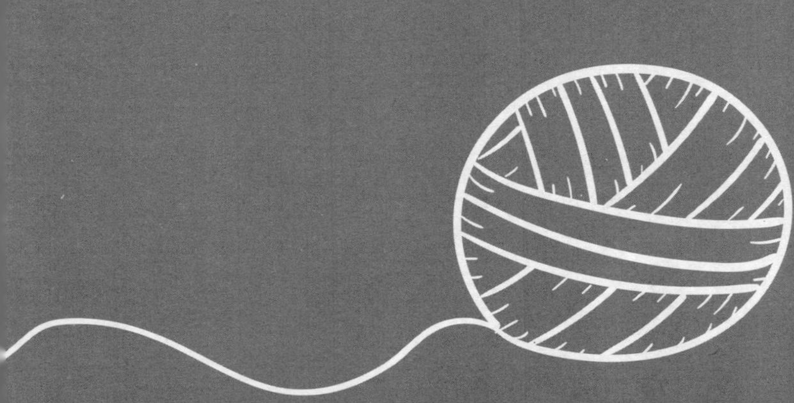

No meio de todas as bizarrices propriamente humanas, a única coisa que realmente me tira do sério são os fios. Humanos precisam deles para tudo.

É um para cada coisa.

Fio para coisa de pôr comida dentro para gelar. Coisa de pôr comida dentro para descongelar. Fio para triturar. Para tostar. Para cozinhar.

Fio para coisa de pôr na orelha. Coisa de olhar na tela pequena e cutucar com os polegares. Coisa de olhar na tela grande grudada na parede. Fio para coisa de escrever em plataforma de teclas e olhar na tela média.

Não fosse pelos fios, o meu relacionamento com os humanos lá de casa poderia ser perfeito.

Mas quando tem um desses branquinhos dando sopa, tipo aqueles de fone, mais fininhos e macios, aí eu não resisto. Acabo danificando na mordedura. O que os deixa furiosos, sobretudo quando ainda são novos.

Ela, a femeazinha, quando está muito brava, pronuncia todas as sílabas do meu nome. E-pa-mi-non--das. O som mais forte vem no "non".

Já ele, o machinho, transtornado, põe até o Badaró. Aqui, a força da garganta vai toda nesse último "ó".

Eles chamam de sílaba tônica, essa mais acentuada. O que me faz pensar que biotônicos e águas tônicas também sejam líquidos de enfatizar alguma coisa. Como a vida, por exemplo. Para casos em que o vivente esteja meio alquebrado.

Esse tesão de viver, alguns humanos mais instruídos chamam de Eros. Tempos atrás, conferiam a esse tesão tamanha importância que o tomavam por um Deus. É isso mesmo. Deus Eros.

Preste atenção. Não leia por ler. Não é incrível? Chamar de deus essa disposição que temos para a vida. Não uma disposição conceitual, genérica, impessoal e descolada das experiências concretas. Eros é o tesão de cada um. De levantar da cama e curtir o fato de ainda estar vivo.

Você acorda e invoca Eros. E ele, o Deus, se confunde com você, com a sua disposição para viver naquele instante. Melancólicos e enfermos da alma em geral foram temporariamente abandonados pelo Deus Eros. Do corpo também.

E deuses, como você sabe, não morrem. Nunca. Morremos nós, a quem eles abençoam por um certo tempo, erotizando-nos. Depois nos abandonam, para conseguir atender outros devotos.

Tudo que cada vivente venha a fazer para viver mais intensamente é louvor ao Deus Eros.

Voltando aos fios.

Quando ele me segura, bem zangado, pelas axilas dianteiras e põe a cara perto da minha, já sei que vou levar uma cusparada.

E nós, gatos, temos com a água uma relação muito especial. Alguns humanos, quando se referem a nós, reproduzem sua ignorância na contramão rigorosa do verdadeiro. Insistem que não gostamos de água. O que é absurdo.

Pelo contrário.

Entendemos o seu valor e sua raridade. Para nós, ela é quase sagrada. Como a vaca para os humanos da Índia. Por isso só a usamos mesmo para matar a sede.

Quanto ao banho, usamos nossos próprios recursos. Língua e saliva. E ninguém ousará sugerir que não somos asseados.

Ô criatura para ter saliva na boca esse meu machinho bravo.

— Quem mandou você roer o meu fone? Quem mandou? — vocifera ele descontrolado.

Ora. Ora. Quem mandou? Claro que ninguém mandou. Desde quando eu faço o que me mandam? Sou gato de natureza soberana. Não sou escravo. Desses cuja vida é dirigida por vontade e consciência que lhe são exteriores.

Ah! Eu já ia esquecendo de dizer. Humanos são um pouco insolentes de vez em quando. Parecem não entender direito o seu lugar. Têm uma certa dificuldade com hierarquias. Não sei por quem se tomam.

Mas eu os perdoo logo em seguida. De tanto perdoar, acabei assim. Um gato que perdoa.

Mas conosco é diferente.

Preste atenção no que vou dizer agora. Está entre as minhas mais firmes convicções.

Humanos se tornam virtuosos por agirem virtuosamente. Primeiro vivem e agem de um certo modo, para só em seguida se considerarem como sendo alguma coisa relacionada com aquela prática reiterada.

Assim, algum deles age corajosamente hoje, amanhã, depois, ao longo de anos. Ao cabo de um tempo, não há mais remédio senão se tomar e ser tomado por corajoso. Até que alguma mudança de conduta venha a desmenti-lo.

Conosco acontece exatamente o contrário.

Primeiro somos. Somos gatos. Cem por cento gatos. E, por sermos gatos, agimos como agem os gatos. Simples assim.

Desse modo, enquanto para eles a vida vem primeiro e o que eventualmente sejam resulta de como viveram, no nosso caso, a nossa atitude, a nossa essência e a nossa definição é que vêm antes.

E só depois, em função dessa essência, é que vem a vida. Por isso, no nosso caso, não há que falar em virtude, como a entendemos hoje. E sim em natureza atualizada.

E o perdão, para nós?

Não se trata de apagar a ofensa. Eliminar sua ocorrência. O que faria do perdão uma falsidade.

Tampouco de esquecê-la. O que poderia ser temerário, imprudente e arriscado.

Trata-se, apenas, de abrir mão de odiar.

Mas isso é assunto para amanhã. Porque agora me veio um soninho...

E pegar no sono é como pegar jacaré nas ondas da praia. Tem sempre o ponto certo.

11.

Olho no tio Haroldo

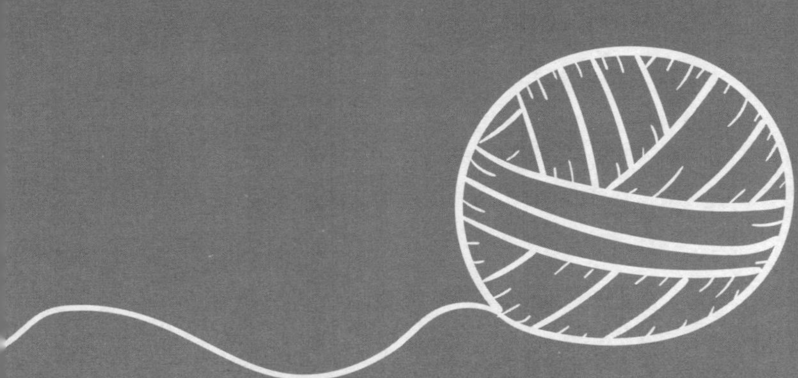

Se você imaginou os humanos agressivos, não se deixe impressionar. São desequilíbrios de ocasião. Simples falta de maturidade emocional. De preparo para lidar com os afetos.

Eu os entendo. Se tivesse tido a educação que tiveram, assumido os valores que são os seus e fosse avaliado pelos critérios que definem seus desempenhos, também perderia o controle com qualquer coisa.

Portanto, quando se mostrarem alterados, relaxe. Não há o que temer.

Aqui entre nós, eles não são de nada. Gritam, esperneiam, xingam, reclamam, cheios de raiva. São histriônicos e parlapatões. Dá até a impressão de que farão algum mal a quem lhes tenha causado aborrecimento.

Mas os pitis passam rápido.

Muitos deles, já serenos, não demonstram nenhuma vergonha pelo descontrole. Como não foram educados para lidar com o que sentem, nem sequer identificam o próprio despreparo. Não parece ser algo que lhes traga muito prejuízo na convivência. A não ser que, em meio à crise, acabem por fazer alguma coisa de muito grave.

Em certos nichos de relacionamento, indivíduos com maior lucidez dos próprios sentimentos são tidos por frios, gelados, pouco vibrantes, apáticos e sem iniciativa. Merecendo assim avaliação negativa.

Imagine a convenção anual dos vendedores de uma grande rede de lojas de varejo.

O presidente daquela empresa familiar, hoje eles chamam de CEO, contratado para reproduzir o capital da família, vocifera no palco palavras de ordem. Motiva seus subordinados, uns 3.500 ali presentes, referindo-se pejorativamente ao principal concorrente. Pede a todos que repitam aos gritos as palavras de ordem daquele grupo.

Pergunto:
que tipo de comportamento se espera, se busca e se valoriza nesse espaço?

Alguns, como o tio Haroldo, são mais controlados. Não manifestam de graça o seu descontentamento. Conseguem conservar o desejo de lesar seus agressores por mais tempo.

Haroldo é irmão da tia Getúlia, mãe da femeazinha lá de casa.

Humanos como ele articulam planos de vingança. Antegozam na frieza lenta o infortúnio que causarão. Saboreiam na imaginação a dor alheia. São afetados de ódio em longa duração. Suas cordas de rancor reverberam por muito tempo a tristeza de que foram vítimas.

Esses, de fato, como o tio Haroldo, podem ser mais perigosos. Mas não tenho nenhum na loja faz tempo. Muito menos em casa. Procuro evitar. Na hora de dar as vacinas, é fácil identificá-los.

Escreveu, não leu, vejo na televisão algum desses investindo contra colegas ou contra si mesmos, descarregando suas armas em escolas, creches, orfanatos etc.

Enquanto não se derem conta de que as emoções são tema tão relevante quanto os mais relevantes nos processos de educação, continuarão conhecendo detalhes de reprodução celular e, ao mesmo tempo, atentando contra a vida, arrebatados por suas tristezas, dores e angústias.

O ódio. Pouco mais haverá entre os humanos que se aproxime mais do universal. O ódio, sim, parece lhes acompanhar por onde estejam. Atravessar tempos e espaços. Resistir a todas as diversidades. Instalar-se em todas as culturas.

Só o ódio reúne adversários. Fomenta cizânias, desavenças e lutas. Seja entre burgueses e proletários, capatazes e subalternos, senhores e escravos, ricos e pobres, dominantes e dominados, direitas e esquerdas, altos e baixos, homos e heteros, gordos e magros e por aí vai, sem fim.

Todo ódio sentido é uma tristeza. Começamos mal. Afinal, é alegria que queremos sentir. Ela, sim, é boa.

Ódio é um tipo particular de tristeza. Sentida na carne e na energia que se perde. No Eros que abandona. Mas não só.

No ódio, essa tristeza vem acompanhada. É o que sugere um dos mais sábios entre eles. Um holandês com origem na terrinha. Que seria gato, se tivesse tido mais sorte na hora de nascer.

— Acompanhada do quê? — você pergunta curioso.

A tristeza que se chama ódio vem acompanhada de uma ideia — de quem ficou triste — a respeito da sua causa. Desse modo, odeia-se sempre e quando se reúnem a potência em baixa e alguma suposição sobre o que a determina.

Todo homem se esforça por destruir, por isso ataca sem dó aquilo que presume sejam as causas da sua tristeza.

E essas causas podem ir longe. Sabe como são esses princípios de causalidade. Tem a ocorrência. Aí tem a causa, que também tem causa, que, por sua vez, também é causada e assim por diante. Ou terminamos em algo que seja causa de si mesmo, como Deus foi definido, ou morremos identificando causas sem esgotá-las.

Essas sequências das causas das causas das tristezas acabam estendendo o espectro do ódio por caminhos remotos.

Como quem resvala o pé ao pisar sobre detritos orgânicos abandonados na calçada e acaba fazendo colidir os próprios glúteos contra o solo. Escorregou na casca da fruta e foi de bunda ao chão. A queda entristeceu. A causa da queda foi rapidamente identificada: os detritos. Ódio por eles.

Mas ele não para por aí.

Ódio também pela causa dos detritos, isto é, por quem os deixou ali e não os colocou numa lata de lixo.

Ódio que se estende à causa presumida de tamanha incivilidade. Como a falta de formação cidadã. Que respinga nos responsáveis pelas políticas educacionais nas escolas, que nunca preveem essa formação. Ao menos não com a seriedade que deveriam.

Ódio dos governantes que designaram esses últimos para essa incumbência. Ódio de quem os elegeu.

Quem sabe, ódio dele mesmo, que acabou de resvalar no detrito orgânico na beira da calçada.

De fato.

Na hora de escolher seu candidato, acabou votando no vitorioso, mais para derrotar o outro, que ele odeia.

Candidato que pelo seu voto virou governante, que designou ministros, que chancelou técnicos de educação, que definiram políticas pedagógicas, que excluíram cidadania — porque é palavra suspeita e em desarmonia com o espírito do tempo — e acabaram formando um péssimo cidadão, que jogou aquela casca de fruta na calçada que, por sua vez, o fez cair de bunda no chão, para sua tristeza, constrangimento e dor.

Como vê, o ódio pode ir longe.
Quando viu, odiava o mundo inteiro.

Já os meus sabem bem que precisam de mim para viver. Em um minuto já estão usando diminutivos e afinando a voz.

Sobretudo ele, que é mais mole que a moleza.

12.

Churrasquinho de humano

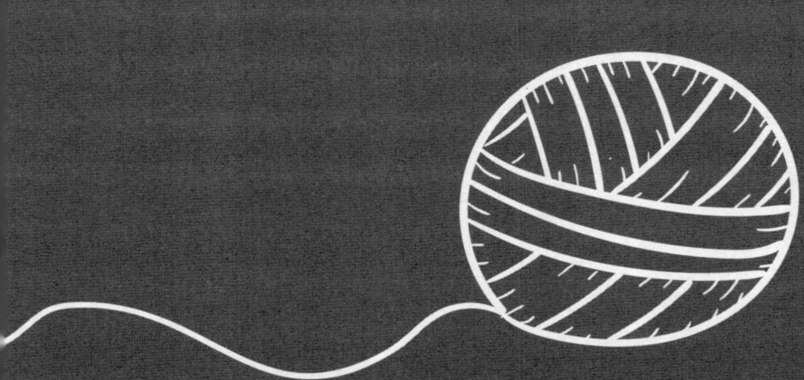

Olha eles de novo.
Tomando café e olhando no relógio.
Engolindo o que dá tempo.

Na verdade, o que eu queria mesmo é que meus humanos nunca saíssem de casa. Sinto falta deles durante o dia.

No fundo, são quase sempre
gentis e até amorosos.

Tenho sempre um receio de tomá-los por simples coisas. O risco é grande. Eu me explico.

Para muitos de nós, gatos, os outros animais e as coisas acabam assumindo um estatuto equivalente.

— Como assim? Animais e coisas são a mesma coisa? — você pergunta com estranhamento.

Para isso fazer sentido, precisamos nos entender. Tenho que pegar você pela mão e ensinar o que todo gato aprende já nos primeiros dias de vida.

Há, no nosso entender, dois mundos bem distintos, mas em constante interação.

Um primeiro mundo, que nos é exterior, é constituído pelas coisas. Desse mundo também fazem parte as plantas e os outros animais. Entre eles, os humanos.

Quanto ao segundo, o mundo interior dos gatos, esse é constituído tão somente pelo espírito. Espírito de cada um de nós. Isto é, por tudo que diz respeito aos nossos sentimentos e pensamentos.

O espírito, para nós, é uma potência. Uma potência de pensar e de sentir. Não há nos gatos pensamento sem sentimento. E vice-versa. Impossível um sem o outro. E não são só simultâneos, mas correlatos, imbricados, dependentes.

Portanto, todo espírito é sempre no particular das existências de cada gato. E, por enquanto, ele nos deixa na radical solidão de nossas sensações pensadas ou de nossos pensamentos sentidos.

Porém, e aqui vem o mais bonito, nosso espírito é uma potência de pensar que busca a verdade. E essa é uma só. É a mesma para qualquer gato. Portanto, ele, o nosso espírito, nos liga ao absoluto. Ou melhor, pode fazê-lo, quando usado com correção.

Desse modo, nossos espíritos, ao buscar a mesma verdade, nos reaproximam, cada um de nós de todos os demais. Recolocando-nos no mesmo plano. Estabelecendo entre nós mais do que simples sintonia, harmonia ou afinidade. Uma verdadeira interseção existencial.

Esse mundo interior e espiritual, no nosso entendimento, é exclusividade nossa. Assim aprendemos com nossos pais. E com nossos mestres.

De fato.

Não há gato que não tenha respondido aos seus genitores à pergunta sobre a própria especificidade em face do resto dos viventes. E, em coro, a resposta terá sido sempre esta: o espírito. Que, por isso mesmo, também é a essência.

Ao falar em essência, falo do nosso verdadeiro ser. Em contraste com toda mera aparência, sempre enganosa. Em contraste também com o que nos é meramente acidental, como a cor do nosso pelo, o tamanho das nossas orelhas, patas ou da nossa cabeça, a extensão do nosso tronco etc.

Esse nosso espírito ou essência, embora seja coisa nossa, resulta estritamente da nossa natureza. De modo que nossa vida espiritual, pensamentos e sentimentos estão sempre circunscritos ao que a nossa gatitude nos faculta.

Não há, sabemos bem disso, como ter certezas a respeito do que se passa com os outros animais. Se sentem, se pensam, o que sentem, o que pensam.

Ficamos dependentes de suas manifestações. Do que comunicam a respeito.

Com duas condições muito limitantes.

A primeira é a dificuldade, para qualquer vivente, de comunicar seus afetos. Seja qual for a linguagem, será precária. Impossível, com algumas palavras apenas, dar conta da imensidão do que sentimos a cada instante de vida no mundo.

Reconhecemos, assim, a mesma dificuldade dos animais em relação a nós.

Porque, embora nós, gatos, disponhamos de uma riquíssima e complexa rede de combinações linguísticas para nos comunicar — reduzida pela ignorância engraçada do mundo na palavra miado —, mesmo nós conseguimos dar conta de manifestar por símbolos com precisão o que estamos sentindo e pensando.

A segunda limitação é a falsidade, a hipocrisia. A intenção deliberada de mentir sobre si mesmo. Essa dificuldade nossa se restringe a alguns animais, como os humanos. Esses são dotados dessa estranha capacidade de falsear deliberadamente seu mundo interior.

Mesmo em face dessas dificuldades, ousamos cravar que nenhum vivente no mundo tem uma vida espiritual como a de um gato. Antes de mais nada, porque é preciso ser gato para tê-la. Haverá diferente. Haverá outra coisa. Certamente. Mas espírito de gato, desculpa, só mesmo gatos podem ter.

Quanto ao mundo que nos é exterior, sabemos bem que algo discrimina os animais de alfinetes, novelos de lã e escovas de dente.

Para nós, gatos, uma coisa é tudo que — por sua própria conta — não é nada.

Aqueles objetos citados acima são coisa. Não há dúvidas sobre isso. Não percamos tempo.

Já os animais, embora também possam ser — e muitas vezes são — tratados pelos gatos como coisas, reconhecemos que podem ser e existir independentemente de nós.

Somos nós a tratá-los mal. Alguns de nós. A reificá-los. O que significa fazer deles simples coisas.

As coisas objetos — que por elas não são nada, que existem para nós e pronto — esgotam todo o seu valor na sua utilidade. Para nós, claro. Os animaizinhos, humanos incluídos, tais como as coisas, também podem nos ser úteis. Eis o principal motivo desse rebaixamento.

Quando, por exemplo, a vida de humanos é por nós instrumentalizada com vistas a obter deles certas afetações que só viventes podem nos proporcionar, rebaixamo-las à indignidade. Vidas que, por elas, poderiam perfeitamente existir sem a nossa presença, análise, intervenção etc.

Ter um animal em casa também ajuda no desenvolvimento de nossos miúdos. Sobretudo se estes forem portadores de alguma fragilidade especial. Um gatinho que tem um humaninho miúdo também desenvolve melhor suas faculdades de pensamento, seu espírito, portanto, sua essência maior.

Podemos também comê-los. Afinal, somos carnívoros. Há animais que dão excelente carne. E habitualmente nos alimentam. A carne humana, embora abundante, nunca teve um gosto agradável. Além de ser um pouco dura. Por isso mesmo é extremamente barata.

Alguns gatos inescrupulosos a vendem como carne de outros animais, considerada nobre, como a de camundongos e gafanhotos.

E o fazem após conservá-la por dias em condimentos que lhe retiram todo o gosto. Quanto à consistência, substâncias contidas em algumas frutas, como o abacaxi, a deixam mais tenra.

Assim, carne humana no pão até que dá para comer. "Se deja comer", como dizem nossos amigos argentinos.

Chamamos de churrasquinho de homem.

Mas, nesse caso, o dos animais, sabemos bem, ou deveríamos sabê-lo, o valor do animal não se esgota na sua utilidade para nós. Como acontece com as coisas.

E, por isso mesmo, é inaceitável reduzi-los a elas.

Eis meu mais genuíno manifesto
felino em defesa dos animais.
Contra a sua coisificação.

13.

Cunhado hedonista

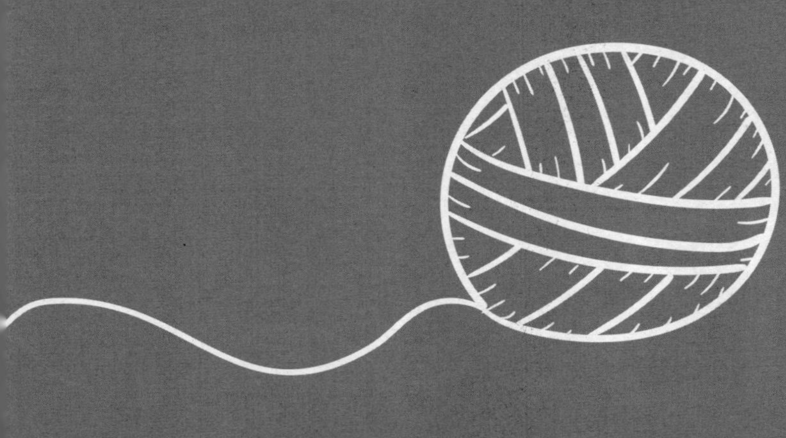

Lutarei pelo direito de viver um grande amor. Com inteligência, humanidade e muita firmeza.

Minha humaninha gosta de uma prosa. Encanta-se com uma boa história. E faz muito gosto em divagações. Tem sensibilidade poética, mas também sabe ordenar ideias quando viaja do sensível ao inteligível.

A mera suposição de todos esses seus delicados atributos de alma se confirma a cada visita do Laerte, seu cunhado. Professor de literatura para outros humanos — entre a infância e a idade adulta — e instrutor de ioga.

Laerte traz brilho aos seus olhos. Pudera. Cada gesto ou palavra sua parecem brotar-lhe, com rara suavidade, da alma mais profunda. Seduz sem a menor intenção. Encanta sem se dar conta.

Seus silêncios de olhar enternecido são como convites de coragem, para que abramos seu baú sem medo. Com Laerte não há risco. Sua generosidade faz lembrar de Hermes fartando-se de ambrosia nos jarros do Olimpo.

Laerte, quando se vai, deixa vibrando em quem fica cordas de deleite afetivo. Cordas cujo devir parece condenado à esperança do seu regresso. Regresso que, uma vez anunciado, faz inverter os nexos, e já instala, por ele só, o efeito de alegria antecipada. Alegria cuja causa ainda tardará.

Ao desdenhar das cadeias surradas da utilidade pequena, Laerte reduz a vida do irmão, sem ironia ou fel, a um amontoado de futilidades. Jamais lhe ocorreria, contudo, resvalar a essa particularidade. Por elegância, respeito ou afeto de maior valor.

Laerte é um hedonista. Desses de mãos cheias. Atribui valor aos instantes da vida em função do prazer que possam lhe trazer. Ali mesmo, no tempo e no espaço em que decorrem.

Sabe bem que esses prazeres não se equivalem. Haverá os de simples preenchimento ou saciedade e os de degustação. Os de mero atrito e os que fazem esvanecer. Os de reles vibração e os de elevação. Por isso, sempre repete que os prazeres da alma, esses sim, há que se preparar para senti-los.

Meu machinho é muito diferente do irmão. Quando o escolhi em filhote, parecia mais robusto. A moça que cuidava destacou sua gula. Comia a própria ração e a que sobrava dos demais. Isso quando não avançava para tomar-lhes na mão grande e na cara dura.

Hoje trabalha em empresa. Disputa fatias de mercado. Vive em concorrência, com outros gulosos. Desconsidera tudo que escape ao seu *mindset*. Esse termo, aliás, eu aprendi com ele próprio. Que parece se orgulhar do que o limita.

Submerso nas mesmas cadeias de utilidade tão desdenhadas pelo irmão, encontra-se impossibilitado de toda crítica. Falta-lhe recuo. Não consegue se olhar de fora.

Meu machinho anuncia diariamente — em repetição de entediar os mais sábios felinos — as conquistas da empresa e as expectativas pessoais de crescimento ali dentro.

Esse humaninho que, apesar de tudo, eu adoro, não logra tirar da sua companheira, a minha fêmea, o mesmo brilho de olhar que lhe proporciona Laerte.

No entanto, veja como é complexo o mundo desses animaizinhos.

Na ausência dos dois irmãos, e em conversa com outros interlocutores, eu já flagrei a mocinha dizendo que seu homem, sim, é trabalhador, sério e ambicioso. Enquanto que o cunhado, bem, esse não passa de um doidivanas, sem rumo na vida.

No curral da hipocrisia, as trombetas da castidade encobrem a lascívia gemida; e a insistência iluminada na virginal alvura deixa no escuro a orgia dos amantes rolando no lodaçal.

Vai entender. Assim são os humanos. Perdidos na questão dos valores e, portanto, com grandes dificuldades de julgar, selecionar e escolher. Em suma, de separar o joio do trigo, como terá dito o mais gato de todos eles.

E gatos, como lidam com esses mesmos problemas?

Imagino que seja essa uma grande curiosidade de não gatos. Tão constantemente embevecidos ante nossa paz de espírito.

Bem. Vamos lá.

Não paro de miar para meus humanos que, antes de qualquer coisa, eu sou um gato. E que essa minha gatitude é determinante em cada segundo da minha existência. Que, por ser gato, vivo estritamente como um gato. Inexoravelmente.

Por isso, conosco não tem muito essa de inventar moda. Os gatos com comportamento esquisito, tipo Frajola ou Felix, esses são *fake*. Invenção de humanos invejosos. Inconformados com a própria pequenez.

Coisa de ficção.

Porque os que são como eu, assim, de carne, osso e muito pelo, esses, por serem gatos, agem como gato, pensam como gato, comem como gato, comida de gato, limpam-se como gato, pulam como gato, miam como gato, fazem xixi e cocô como gato...

Em suma, vivem como gato.

Bem, acho que agora você já entendeu.

Uma palhinha sobre o nosso jeito de ser.

Temos mesmo essa índole ensimesmada de que tanto se servem nossos detratores para nos maldizer. Digerimos ordinariamente uma ideia fixa. No mais das vezes, uma ilusão. Não passa da ponta de um novelo que, uma vez puxada, viola os segredos de uma existência inteira.

Porta única de um universo imaginário, onde nos refugiamos, protegendo-nos de corpos angulosos e cortantes, que teimam em nos marcar.

Nossa sensível delicadeza ou, talvez, delicada sensibilidade nos expõe dolorosamente. Resta fazer da fina membrana que separa o percebido e o imaginado uma parede intransponível, uma barricada de amedrontados, uma fronteira em abismo, um labirinto de desencontros marcados.

Quando nos deixam em paz, pode apostar. Abrigam-se em nossa solidão formas invisíveis, projetadas à formosa evocação de nossa mais pura fantasia. O silêncio que nos resguarda é disfarce fino a ocultar retumbantes divagações, diálogos estrepitosos entre nossos eus e seus auditórios.

Bem. Cada animal tem sua natureza. Sua especificidade. Seu jeito. O certo é que, tanto para nós quanto para todos os demais, a vida rezará na cartilha da mãe natureza.

Elefantes, por exemplo. Como imaginar um elefante inventando moda, senão sob tortura psicológica de cruéis adestradores? E cobras. Nossa, cobras são 200% cobra. Absolutamente desprovidas de axilas.

Tudo é instinto para nós. Temos respostas prontas e precisas para qualquer situação. Ante todo estímulo, uma reação certeira e imediata. Natureza completa. Com todos os acessórios. Dotada de sofisticados sensores para os infinitos cenários de existência no mundo.

Por mais aparentemente inusitada que seja a realidade encontrada, gatos têm uma única resposta, certa e certeira, na manga do paletó.

Daí a nossa superioridade. Claro.

É na hora de reconhecer essa superioridade que a coisa pega. Eu tento ser didático com eles. Mas há limitações do lado do receptor.

Vamos de novo.

Quando você tem um carro zero que vem de fábrica com todos os acessórios, ele necessariamente vale mais do que um outro carro, pelado, que tem de se virar com o dono para botar por fora tudo que lhe falta.

Quando digo que nascemos completos, refiro-me mesmo aos instintos e às competências por eles facultada.

Respostas prontas e rígidas para estímulos de todas as ordens, nas situações mais diversas. Desde as que se repetem todo dia até as outras, que só acontecem uma vez na vida, outra na morte. Não há enrosco que o instinto não resolva.

Já humanos são pobres no quesito. Nasceram às pressas. E saíram meio crus. Vieram pela metade. Essa pressa e falta de acabamento lhes perseguem ao longo de toda a vida.

Compare, por exemplo, o nosso comportamento, felino e altivo, com o de um humano. Nós agimos na plenitude. Eles, na carência. Nós, sempre seguros da nossa natureza felina. Eles, perdidos, quase sempre. Observe-os perambulando pelas ruas. Sem eira nem beira.

Nós, circunscritos numa vida que nos cabe. Sem lacunas nem excessos. Eles, bem, chegam a forçar o vômito só para poder comer mais. Nós, com o corpo harmonizado aos efeitos do tempo. Eles, depilados, preenchidos, siliconados, lipoaspirados, tatuados, agredidos e, muitos, suicidados.

Bem. Quero deixar claro aqui.

Essa nossa superioridade não resulta de uma avaliação minha. É um dado da natureza. Um juízo de fato, como costumam dizer alguns contrapondo a juízos de valor.

Não vejo, portanto, nenhum problema em apenas constatar que as coisas sejam como são. Pelo contrário.

É um traço louvável de sabedoria.

L

14.

Nos olhos de quem vê

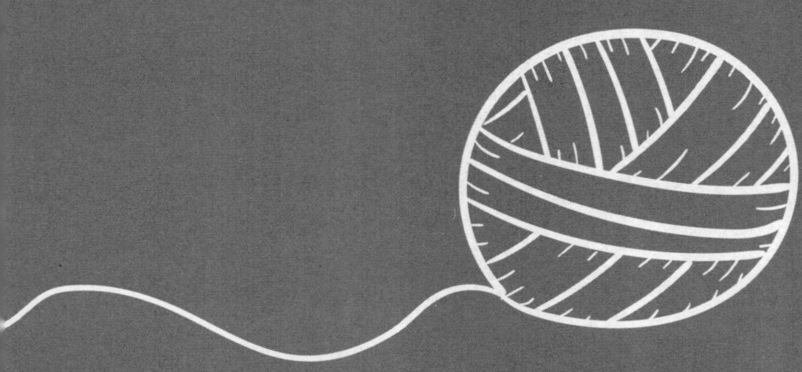

Nós, gatos, enterramos nossos excrementos. Quando o fazemos na areia, aí nós os enareiamos. Não porque tenhamos sido bem-educados para isso. De jeito nenhum. Já nascemos sabendo e procedendo dessa forma.

Modo de agir no mundo, aliás, que nos discrimina dos demais viventes e nos coloca na vanguarda do respeito ao meio ambiente.

Falo isso por causa das fraldas das crias humanas. São uns panos com algodão e prendedores para botar em volta dos excretores dos miúdos bem novinhos. A natureza lhes faz evacuar, mas não lhes deu nenhum, pasmem, nenhum saber prático para lidar com o resultado.

Não é incrível? Tantos recursos instintivos para nós, quase nada para eles. Que loucura!!!

Mas chega. Acabamos de falar disso e não quero soar cabotino.

Até porque adoro humanos. Mais do que outros animais. Muito mais. Eles me distraem. Temperam minha solidão. Não tenho por que tripudiar.

São razoavelmente higiênicos, quando desfraldados, e, já maiorzinhos, saem para passear sozinhos.

Os meus vieram juntos. Para que fizessem companhia um ao outro e se divertissem entre eles enquanto eu não estou. Sugestão da minha vizinha que mora com um solteirão rabugento.

Com efeito. Humanos se deprimem quando ficam muito tempo sós.

Peguei logo um macho e uma fêmea. Quem sabe reproduzem. Adoro os filhotes. São fofos e não insistem em nos pôr no colo.

Claro que nem tudo é um mar de rosas.

Antes de trazê-los, tive que comprar sofás e camas. Eu li em algum lugar que eles não gostam de ficar no chão.

Mas também, convenhamos. Se nós, gatos, só tivéssemos duas patas para deslocamento e a agilidade de um saco de batatas para nos erguer, acho que também preferiríamos suportes mais elevados para nos alongar.

O meu macho é um campeão. Já deixou ninhada boa na casa de um tio meu. Suas belas crias são exibidas com orgulho.

Falando em belas crias, vou dar uma de Sócrates e abrir um parêntese.

Afinal, para afirmar que são belas as crias, no seu particular, devo ter uma ideia mais ou menos clara do que seja o belo. Essa mesma, a ideia, que deve estar presente em tudo que se pretende belo. Ou que é assim considerado.

Se Isis Valverde, a praia de Ipanema e a escultura *Davi* são belos, é porque contêm, ou fazem participar, em seus particulares da mesma ideia de beleza.

Em contrapartida, se um corpo, um quadro ou uma casa não tem nada a ver com a ideia de belo, não poderiam ser tomados como tal.

Não acham?

Bem. Vou arriscar aqui um arremedo de definição. É para dar a cara a tapa mesmo. Se ninguém começa, a comida esfria, dizem os daqui, quando estão com fome e com alguma cerimônia.

Então vamos. Comecemos pelas preliminares.

Belo não é substância. Substantivo, na gramática. Não faz sentido dizer que vi um belo na esquina, ou comprei um belo na loja. Assim como não é comum comer um amargo, sem dizer o quê. A não ser que o contexto da conversa permita deixar a substância oculta. Ainda assim, belo por si só não rola.

Belo é, portanto, um atributo. Adjetivo, na gramática. Digo isso porque é algo que atribuímos às coisas do mundo. Seus objetos, plantas, animais, obras, paisagens, discursos etc. Assim, uma bela poesia faz sentido. Porque reunimos os dois. A substância poesia e o atributo belo.

Só que, como sabemos, nem tudo é belo. Ou, para ser mais preciso, não podemos pendurar placa de belo em qualquer coisa. Surge então a óbvia pergunta:

Em que condições se justifica esse atributo?

Bem, se estamos chamando de atributo, é porque se supõe lhe seja atribuído. E se lhe é atribuído, será por alguém. Há que considerar pelo menos dois. O mundo — belo ou não — e mais alguém, que o considera assim ou não. As realidades a quem se atribui e alguém que as atribui às realidades.

Mas a pergunta persiste. O que tem de rolar necessariamente entre ambos para que um atribua a beleza ao outro?

Bem. Eu parto da suposição de que o belo tem a ver com o que é bom. Algo de valor positivo. Logo, deve ter também proporcionado alguma coisa boa para quem vai atribuir-lhe ou não beleza.

De fato. Não faria sentido chamar de belo o que desagradou, enojou, entediou, entristeceu ou causou temor.

Portanto, para ser tomado por belo, precisa ser agradável a quem assim o toma. Essa palavra *agradável*, imprecisa, é verdade, reunirá todos os sentimentos bons que podemos sentir ao contemplar as coisas do mundo.

Essa sensação agradável vem de onde?

Antes de mais nada, das experiências empíricas. Mas também do uso adequado da razão.

Vamos do começo. Dentre as experiências empíricas, destacamos em primeiro lugar as proporcionadas pela visão. E isso nos ajuda a avançar na nossa definição.

Belo é atributo de algo agradável de se ver.

Começo por uma pintura. Rembrandt era um humano incrível. Pintava muito. Cézanne era outro. Degas e Manet. Não faltam exemplos. Fotografia também eu adoro. Algumas são muito belas. E me trazem grande agrado.

Os viventes da natureza. Como nós, gatos. Para quem aprecia ver-nos. Aliás, alguns animais são maravilhosos de ver. Alguns humanos, também.

As plantas. Nossa, como podem ser belas. Com destaque para as flores, claro. Por causa do colorido.

Acho que tá bom de exemplos.

Mas as experiências empíricas não terminam com a visão.

Pode haver beleza nos sons. Quando são agradáveis de ouvir. Serras elétricas, aparadores de grama e liquidificadores não emitem sons belos. Maritacas tampouco. A mim, me desagradam.

Já alguns passarinhos...

Música também. Não qualquer música, Bach, Berlioz, Vangelis, Jobim, Queen e tantos outros que é melhor interromper. Sons produzidos por humanos de extraordinária beleza. Porque agradáveis de ouvir.

Até aqui estamos juntos. Belo é atributo de tudo que é agradável de ver e de ouvir.

O ponto seguinte da minha definição diz respeito ao tato. Certamente um item controverso. Mas eu, gato, quero dar a todos os deficientes visuais a chance de atribuir beleza às formas pelo tato.

Lembro-me de um videoclipe, o leitor poderá buscá-lo em seu telefone, da música "Hello" cantada por Lionel Richie. A moça é cega. E consegue atribuir rara beleza ao cantor pelo som, claro, mas também por um busto de argila que ela mesma esculpira e tateava.

A experiência tátil na intimidade dos corpos permite a beleza pelo apalpar, pela carícia, pelo contato, pelo atrito.

Quanto aos demais sentidos, não são costumeiramente relacionados à beleza. Mesmo quando ensejam experiências agradáveis.

De fato, não é nada comum exclamações como: que belo cheiro, que lindo aroma. Não sei o que diria um perfumista. Mas estamos a falar de senso comum.

Tampouco o paladar indica beleza. Uma comida pode estar gostosa. Saborosa. Mas não bela. No caso de beleza do alimento, ela nos remete mais ao visual do que ao gustativo.

Finalmente, como anunciamos antes, o belo também pode ser atributo de ideias. Do que é produzido pelo espírito. E como é certo o que acabo de dizer. Algumas ideias são de rara beleza. Como a própria ideia de beleza que estamos aqui buscando encontrar, com nossos pobres recursos intelectivos.

A nossa definição está ganhando corpo. É belo tudo que é agradável a ver, a ouvir, a tatear e a entender ou atribuir sentido.

Restam só duas coisinhas.
Ainda não estou satisfeito.

Minha ressalva é muito importante. Tudo será belo nessas condições desde que, por sê-lo, não sirva para mais nada.

— Como assim? — você pergunta.

O belo é belo pelo tipo de experiência que enseja e ponto final. Fica por aí. Não precisa de mais nada. O belo não é meio. Não é instrumento. Não é útil. Independe de outros interesses. Todo belo termina no agradável. No regozijo.

Bem. Nada impede que o belo seja também útil. Mas não por conta da sua beleza. Sua eventual utilidade não respinga no atributo de belo que porventura tenha recebido de alguém.

Um belo carro útil indica valores soberanos e incomunicáveis. Por outro lado, há nos salões os belíssimos que já não transportam ninguém há décadas. Bem como nas ruas os velhos de guerra, ainda na lida, que não arrancam suspiros estéticos de ninguém.

A segunda coisinha, correlata à primeira, também me parece muito importante. O belo não se presta à posse. Requer regozijo desinteressado. Ou, quem sabe, regozijo interessado nele mesmo. Ou em mais dele mesmo.

Uma linda tela produz regozijo ao seu dono, bem como a qualquer um que lhe visite. E quando homens e mulheres são lindos e circulam em lugares de muita frequentação, são admirados, sempre com a ressalva de que olhar não tira pedaço.

Como você deve ter percebido, ao tomar o belo por um atributo e vinculá-lo ao que é agradável, eu o inscrevi no relativo das experiências e de quem as vive.

Nada impede que se reflita sobre o belo a partir de outras referências. Como o cosmos, por exemplo. Nesse caso, seria belo tudo que representasse, de um certo modo, a ordem cósmica. Como a simetria na arquitetura e na jardinagem.

Nada impede também que, conservando as experiências e suas sensibilidades como referência, cheguemos a certos denominadores comuns.

Afinal, somos todos, nós, gatos, dotados dos mesmos instrumentos de percepção. Temos dois olhos, uma boca, dois ouvidos, e isso aproxima, suponho, nossa percepção do mundo. O que pode sugerir coincidências na hora de atribuir beleza às suas coisas.

Era isso. Fico com o que me é agradável. Tomo por belo. Quanto ao resto, se puder evitar, evito. Em nome da vida.

15.

A miss da Kombi amarela

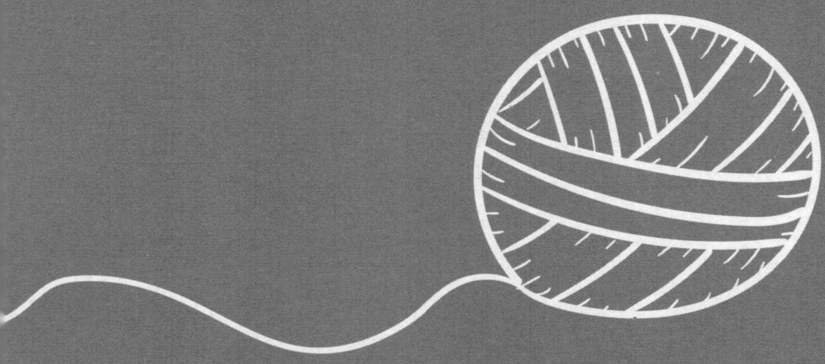

Ah! Humanos.

Quando seus ossos alcançam o tamanho definitivo, organizam campeonatos de beleza entre eles.

Pensando bem, mesmo antes de virarem adultos, alguns já se expõem, ou são obrigados a fazê-lo, nesse tipo de competição.

Num filme a que assisti, uma família viajou por vários dias num carro amarelo. Esse carro era bem diferente dos demais. Cabia mais gente, era alto e não tinha focinho.

Como eles dizem, achei da hora aquele carro.

Mas a aventura era para que a filha do casal, não completamente formada de natureza, participasse de um desses concursos.

Um dos personagens, tio da menina, me chamou a atenção. Dizia-se especializado num tal de Proust e afirmava coisas semelhantes ao que aprendemos desde filhotes com nossos genitores.

Não creio que os humanos que moram comigo conheçam Proust.

Entre eles, os humanos, esses abismos de formação são muito comuns. Como nasceram zerados de natureza, cada um desenvolve capacidades em função de suas escolhas. Na verdade, contam mesmo, no começo, com as escolhas de seus genitores. Só depois, quando supostamente já estão formados, é que ganham alguma autonomia.

Essas escolhas implementam valores aprendidos no mundo que os circunda. Acabam vivendo em bolhas. Ou tribos, como eles dizem. Nelas buscam referências e nelas as reproduzem também.

Certamente há uma tribo dos que falam o dia inteiro sobre Proust. Enquanto os outros, claro, não têm a menor ideia do que estejam querendo dizer.

Há tribos para tudo que você possa imaginar. Artes, esporte, culinária, ciência. Acabam superespecializados e com muita dificuldade de interagir fora daquilo.

Muitos deles, de corpo já sovado pelos anos de solavancos e erosão, ainda lutam para se destacar no quesito formosura.

O tempo passa, e os traços, pesos e extensões dos corpos que os sensibilizam genuinamente mudam muito. Hoje submetem-se a dietas. Arrancam com faca ou aspirador os excessos. Preenchem lacunas com líquidos e próteses. Esticam, clareiam, bronzeiam segundo as regras do dia.

Vale tudo por um olhar de admiração.

Ou algum comentário como "você está muito bem para a sua idade".

Incrível como ser notado tem importância em suas vidas. Buscam distinção a qualquer preço. Se for acompanhado de algum valor positivo, melhor, claro.

O drama é que essa distinção resulta de uma aprovação coletiva. Não depende, portanto, de cada um individualmente. É o grupo todo deles que define as condições, os critérios, as regras dessa distinção.

Desse modo, não adianta só querer aparecer. É preciso que o grupo autorize, reconheça e aprove.

Portanto, essa distinção de que tanto carecem lhes põe de joelhos diante do grupo. Fazendo-os escravos do olhar do outro.

Humanos, por nada serem de natureza, precisam, o tempo todo, anunciar quem são. Para os outros e para si mesmos.

Ficam testando seus modos de ser para ver como os outros reagem. Clamando por aprovação. Precisam desesperadamente saber se tudo bem ser daquele jeito. Se não vai rolar alguma advertência.

Não acontece conosco porque somos gatos. E todos já sabem disso. Já estamos pré-aprovados. Vivemos como gatos, agimos como gatos, fazendo o que todo gato faz. Desse modo, não temos que nos curvar para sermos aceitos.

Humanos vangloriam-se da sua suposta liberdade, pela pobreza de suas naturezas. Como são pouco instintivos, podem — ou melhor, se veem obrigados a — inventar, criar, improvisar, empreender.

Mas, quase sempre, são covardes demais para viver livremente. Restou-lhes, então, encontrar um tirano para chamar de seu. O outro. A vida em sociedade. A busca da sua aceitação e de seu aplauso.

Entregam-se, assim, voluntariamente à servidão. Sentem-se perdidos sem um senhor. Talvez por isso mesmo, desde sempre, tenham, genuflexos, reverenciado líderes autoritários que os aliviem do fardo de serem livres.

E você ainda pode sugerir que acaba dando na mesma. Gatos não são livres porque vivem de acordo com sua natureza. E humanos, por sua vez, entregam sua liberdade em submissão voluntária ao grupo ou a seus líderes.

Duas diferenças.

A primeira. Humanos se deixam livremente escravizar. Submetem-se por vontade própria. Gatos, por sua vez, não têm vontade. Tudo neles é sua natureza. Não poderiam abrir mão dela. Porque estariam abrindo mão de ser. E de existir.

A segunda. Lembre-se de que a natureza de gato, genérica, sempre a mesma, zela pelas suas espécies e não necessariamente pelos seus indivíduos.

Quanto às sociedades, seus interesses de circunstância e seus líderes de ocasião, aí eu já não sei.

O que você acha?

Perdão. Eu falei de aplauso e nem me expliquei.

Eles chamam de aplauso quando fazem colidir as palmas das patas mais de uma vez, produzindo um som a cada colisão. Faz mais efeito quando são muitos a implementar a operação. No coletivo fica até interessante.

O intervalo encurtado entre as palmas, a força impressa na colisão das mãos espalmadas e a duração de toda a operação indicam apreço e reconhecimento pelo aplaudido.

O aplauso máster é quando todos eles se levantam, juntos, para aplaudir. Por bastante tempo.

16.

Melhor ir na onda

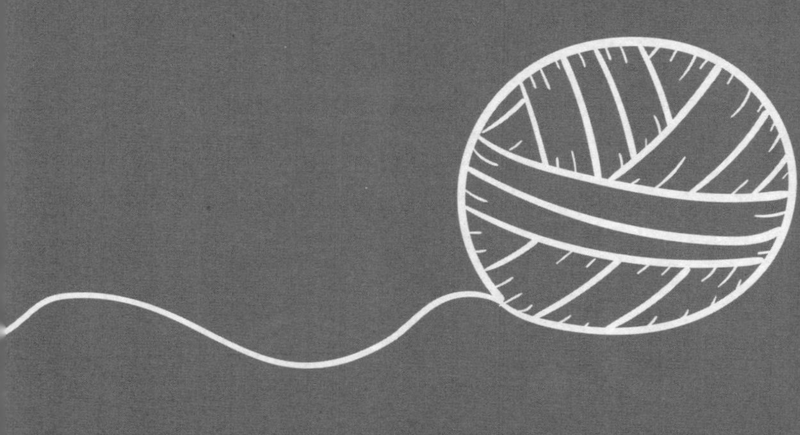

Humanos imitam uns aos outros. Tornam-se parecidos sem sê-lo a princípio. Mais por impregnação que por disposição voluntária — e, portanto, consciente — de fazer como o outro.

Normal. Na falta de uma natureza, não resta muito mais como referência do que humanos para humanos.

Claro que tem sempre um ou outro que se levanta primeiro. Que toma a dianteira. São os líderes.

Líderes de verdade são bastante raros. Porque são corajosos. Enfrentam o temor com sabedoria. Quando a coisa dá ruim, é na moleira deles que o sarrafo estala.

São também exemplares. Isto é, exigem de si mesmos as mesmas virtudes solicitadas de seus liderados.

Há também os gênios. Particularmente capacitados pela natureza para realizar bem e facilmente aquilo que outros realizariam mal e com muito esforço.

Gênios imitam menos. Carecem de formação, mas a transcendem a cada gesto. Não seguem escola alguma, mas inauguram suas tendências. Não obedecem à cartilha, mas estabelecem seus fundamentos. Por intermédio dos gênios, diz um dos mais sábios, a natureza informa à arte suas regras.

Líderes e gênios são poucos.

O grosso do homanho vai mesmo na onda. Homanho é o coletivo dos humanos, enquanto simples reunião ou aglomeração. Homanho de humanos, para nós, gatos, corresponde aos rebanhos de alguns quadrúpedes.

Muito de seus desejos é inspirado pelas inclinações alheias. Quando um homem deseja, não só comunica ao mundo o que lhe faz falta, mas sinaliza também que aquele mundo por ele desejado é desejável por outros.

O homem que manifesta e comunica desejo genuíno obriga o mundo todo a se reacomodar a essa inclinação.

Quem comunica o que deseja abre a porteira e autoriza o homanho todo a desejar aquilo também.

Humanos desejam muitas vezes por imitação. Por isso, mais do que uma relação bipolar entre quem deseja e o objeto desejado, o desejo de homens e mulheres costuma se constituir num triângulo entre mundos desejados e rivais humanos em conflito.

De fato. Difícil para humanos desejar aquilo que nenhum outro humano deseja.

Por isso, suas lojas e restaurantes, quando vazios, tendem a permanecer assim.

Em contrapartida, quanto maior a aglomeração, maior o poder de atração. Uma boa fila de humanos costuma se reproduzir mesmo que seus integrantes não saibam bem a causa inicial daquela disposição.

Mas nem tudo na vida coletiva dos humanos se reduz a homanhos.

Passam a chamar sociedade quando se organizam um pouco melhor e estabelecem leis. Normas que regulamentam as ações humanas supervenientes a sua entrada em vigor.

Sem essas, eles mesmos sabem, acabariam se matando.

Por tudo isso, homens e mulheres são ótimos animais domésticos. Previsíveis que só. O que a natureza não terminou de dar, o medo completa com sobra.

E se aparecer algum mais arisco, eles põem logo a tropa de choque na rua: valores, princípios, máximas, fundamentos, normas, regras, regulamentos, e por aí vai.

Nada a ver com cães. Faça um *test walk*. Compare os dois.

Enquanto um rosna para todos os semelhantes, late, avança, briga, humanos, ainda que afetados momentaneamente pela ira, ficam na sua, quase sempre.

Para julgar, aplaudir ou vaiar, não é diferente.

Humanos pedem autorização ao grupo. Levantam-se da cadeira, se for o caso. Aplaudem pelo número estipulado de segundos, com a intensidade permitida, e voltam a se sentar como qualquer animal bem adestrado.

Tanto que, se estivessem participando do evento pelo computador, cada um na sua casa, permaneceriam estatelados. E não tirariam os traseiros de suas cadeiras. Nem a pau, como eles gostam de dizer.

Ser aplaudido os emociona muito. Ao menos, parece.

Nesses casos, costuma sair água de seus olhos. O nariz fica vermelho. E, se tiver algum outro por perto, acaba dele se aproximando. Encostam-se enlaçando com os braços a parte do corpo imediatamente abaixo da cabeça.

Com o passar do tempo, muitos que viveram dias de glória deixam de ser aplaudidos. Provavelmente por terem desaparecido os motivos do aplauso. Eles sentem muita falta da adulação do passado. E ainda por cima são chamados de decadentes.

Admiradores de corpos renovam seus ídolos rapidamente. Cruel para quem já recebeu todos os olhares de veneração e desejo.

Já os que são admirados pelo que pensam, pelo que dizem, pelo que produzem, pelo jeito de ser, pelas virtudes morais, acabam esticando um pouco o tempo de ribalta.

Nem uns nem outros conseguem perceber o óbvio. Coisa que nós, gatos, já nascemos sabendo. Vincular o bem viver ao que não se pode controlar — como os aplausos alheios — é caminhar para a ruína.

Pobres humanos.

É deprimente quando se veem obrigados, eles mesmos, a falar bem de si. Gritam desesperados que ainda têm valor. Mas não são ouvidos.

Essas coisas têm mesmo que vir de fora. Humanos não têm nenhum crédito quando falam de si. Pouco importa o que venham a dizer. Quando se elogiam, são metidos e não se enxergam. Quando falam mal de si, são hipócritas e pensam o contrário do que estão dizendo.

Melhor seria não precisar falar de si. E aceitar o mundo como ele é. Como ensina o bê-á-bá da gatitude. De toda a felinidade.

Mas isso, para humanos, não é possível.

Porque, se fosse, seriam gatos.

17.

Tudo por conta dos dedos

Humanos, em geral, são folgados. Por exemplo, defecam sentados. Buscam o máximo de conforto para aquele instante.

Carpe Diem. Que vai além da evacuação, por certo.

Afinal, não sabemos que destino os deuses nos reservaram. O devir é imune às certezas. Astros, esses se deslocam, alguns rapidamente. Atraem e se deixam atrair. Iluminam e se veem iluminados. Mas precisam dos homens para indicar seus amanhãs. Resta suportar. E, naquilo que depender de nós, agir.

Filtrai, portanto, seus licores. Degustai do mundo com zelo por si. A vida é curta demais para tão longos projetos. A alegria, em gotas de elixir, desaparece diluída nos tonéis pesados da esperança. Conservai-a. Lutai bravamente contra toda ignorância, arrimo dos temores que nos amargam a boca. E dai à vida um crédito. A despeito de toda a devastação.

Essa vida, vivida no mero instante, não seria a nossa. Impossível vivê-la assim. Não para nós, dotados de espírito, que resgata e antecipa. Mas sim vida no presente. Onde tudo se encontra. Presente que transborda o instante pelo passado da memória e pelo vir a ser dos propósitos.

Para estar valendo a pena viver é preciso responder, sem pestanejar, à pergunta feita por um demônio, na mais solitária solidão.

Escuta aqui, meu camarada — interpela o demônio.

Sabe essa vida que você está vivendo agora, essa mesma grudadinha na outra que você acabou de viver?

Então...

E se eu disser que você vai ter que repeti-la? E não pense que será só mais uma vez. Nada disso. Repeti-la várias vezes. E já vou avisando, repetição pura e simples. Sem nenhuma novidade. Tintim por tintim, tudo exatamente igual.

Tipo, hoje, quibe cru, ao meio-dia, no Al Salin. Amanhã, quibe cru, ao meio-dia, no Al Salin. Mesma porção. Mesmo garçom. Mesma mesa. Mesma posição na mesa. Mesma Coca. Mesmo gosto. Mesma roupa. Mesmo valor.

Tudo a mesma coisa. Entendeu? Os mesmos encontros, as mesmas sensações, as mesmas alegrias, tristezas, temores, esperanças, as mesmas histórias, piadas e pequenas ocorrências. Tudo na mesma ordem. Aranha, árvore, luar, e inclusive eu mesmo. Tudo igualzinho.

Como se a ampulheta terminasse de escoar e alguém a revirasse para que tudo recomeçasse do mesmo jeito que acaba de ser.

Bem, agora vem a pergunta, propriamente.

Quando o tal demônio anunciasse isso, qual seria a sua reação?

Você ia entrar em desespero, pedir a Deus para livrá-lo de semelhante maldição ou, pelo contrário, agradecer ao demônio por tão boa notícia e celebrar em júbilo genuíno com os amigos?

Pois a vida estará em alta, valendo a pena, bombando mesmo, se você saísse eufórico com a certeza de ter recebido a melhor das boas-novas. Caso contrário, quanto maior o desespero, maior o fracasso.

Aposto que você está no primeiro time, não?

Afinal, arrear as calças, erguer a tampa do vaso a tempo, sentar-se com graça, alcançar um alívio, lavar-se na duchinha, sabonete de frutas silvestres, tudo isso, bem que poderia mesmo se repetir indefinidamente.

Mas nem sempre sai tudo tão redondo. Posso lhe assegurar.

Humanos acabam se sujando muito. Como são rígidos e travados, salvo os poucos que se dedicam a alongamentos diários, não conseguem se limpar com a própria língua. Um humano ordinário não alcança com essa última nem 20% do próprio corpo.

Além de encurtados, são cheios de dedos. Não lhes ocorreria, portanto, uma troca de gentilezas.

Tornam-se, assim, dramaticamente dependentes de papel ou água.

O papel é especializado. Específico para a limpeza íntima, portanto. Há de muitos tipos, e preços. Desde a sofisticação dos que são quase acolchoados, passando pelos mais finos, que se desfazem, deixando tudo por conta dos dedos, até as lixas número 5.

Problemas exclusivos de quem tem natureza muscular encurtada, tendões para todo lado e uma língua sem textura limpante.

Quanto à água, vale a pena mencionar o apreço de alguns por uma curiosa bacia, abastecida de água quente e fria, normalmente posicionada ao lado e rivalizando em altura com o vulcão ao contrário. Bidê é o nome.

Os humanos passam rapidamente de um para o outro sem esticar as pernas. As calças arriadas são arrastadas e, dependendo da consistência dos excrementos, algum respingo é inevitável ao longo dos poucos segundos da operação.

No centro dessa bacia, um chafariz pode ser acionado. Com vistas a atingir com precisão — e pressão a gosto — o ponto exato de evacuação. O resultado da limpeza parece bastante adequado.

Alguns, nesse momento, recorrem a produtos específicos de higiene íntima. Os mais sofisticados são líquidos. Mas há os que ainda prefiram se lavar com barras bem rígidas. São os defecantes raiz.

Os aromas desses produtos mostram toda a criatividade dos bichinhos para compensar o estado lamentável de recursos em que vieram ao mundo.

Outro dia vi na pia do banheiro um desses com aroma de "avalanche no Alasca numa segunda-feira qualquer". Para ter alguma ideia de como cheiram as geleiras desse lugar em avalanches de começo de semana, fiquei à espreita.

Quando o machinho começou a operação, entrei no banheiro. Na condição em que estava, já não podia se livrar de mim. Acomodei-me no camarote da pia e esperei pela conclusão dos trabalhos. Até que ele lançou mão do precioso frasco e encheu a mão de um líquido cremoso esverdeado.

Respirei a plenos pulmões.

Mas aquele moço quando evacua faz predominar seus odores aos de qualquer avalanche. Mesmo as tais do Alasca, que devem mesmo ter um cheiro todo especial. Ainda mais essas de segunda-feira, sabidamente mais suaves em seus aromas.

Essa bacia vem sendo substituída por uma pistola posicionada ao lado do vaso.

Sabem como é. Ao preço do metro quadrado, em especial nas zonas ditas nobres, gastar um deles inteirinho com uma engenhoca estranha que só serve para o pós do evacuar começou a perder o sentido.

Voltando à pistola.

Cabe ao humano que deseja se limpar direcioná-la para suas partes sujas. Ainda sentado, de baixo para cima, com o punho dobrado e mirando o teto, o gatilho permite acionar potente jato, preciso em direção e sentido.

Nos locais frequentados por homens e mulheres que não se conhecem, nem sempre há papel ou água. Dá dó quando não têm à mão nenhum dos dois.

Seria melhor se fizessem como antes. E se agachassem de vez para evacuar em algum buraco no chão. Mas quase todos eles têm problemas nos joelhos, porque são pesados demais para duas patas. Quando se agacham, não se levantam mais.

Humanos precisam de apoio!

18.

Humilhações em protocolo

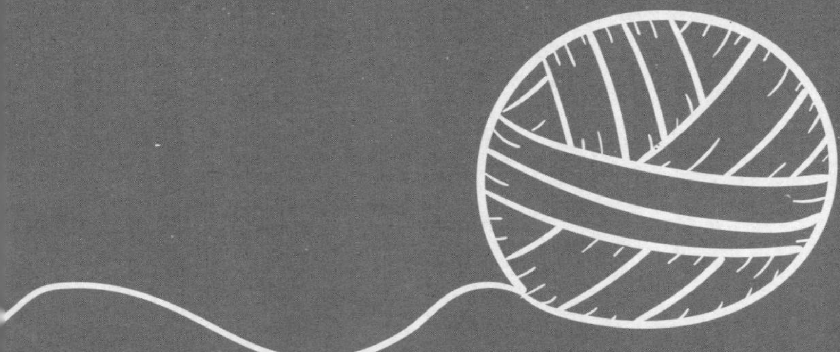

Humanos não lidam bem com a morte. Nem com a própria, nem com a dos outros.

Quando a vida começa a dar sinas de abandono, eles dizem que estão doentes. Faltando pouco para a retirada definitiva, são encaminhados às pressas a lugares onde outros deles se vestem de branco.

Tal como aconteceu ao longo de toda a vida, os mais ricos terão algum conforto. Passarão seus últimos dias em hotelaria fina, que, aliás, nunca lhes faltou antes.

A vida lhes deixará agarrados em suas futilidades e buscando voz para balbuciar, por uma última vez, a estirpe do lugar que estão frequentando.

Os pobres, também fiéis às suas tradições, não sentirão em momento algum saudade da pobreza. Seguirão até o final chafurdados em suas humilhações, objetivadas em protocolo.

Até o final.

Só que agora encontram-se ademais alquebrados pela doença. Vendo a sua história, que assoma na soleira da porta, com um pé já na calçada.

Colocados, assim, entre a vida e a morte, receiam ambas. Sem alento para as provações já bem conhecidas de uma, sem coragem para as incertezas e desconhecidos da outra.

Temor de ir, terror de ficar. Na procura da consolação, deparam-se com a ruína.

A pobreza corresponde ao estágio original da humanidade. Só que não recebia título. Porque a esse tempo, o mundo era simplesmente. Era o que era. Não havia por que tomá-lo por isso ou aquilo.

Aos poucos veio a acumulação de bens com distribuição desigual. Passaram, então, os humanos a viver em duas realidades. A primeira, original, e essa outra, a nova.

Agora, sim. Cada uma dessas realidades passou a existir por oposição à outra. Noções reflexivas. Tautológicas. Só se deixam definir pelo resto. Pelo que não são. Negativamente.

Para haver pobres, há que haver ricos, e vice-versa.

Nesses lugares repletos de alvura, humanos, ricos e pobres, passam seus últimos dias.

Os elementos mais fundamentais que os constituem, seus átomos, se preparam para a desagregação definitiva. Abandonarão aquele modo circunstancial de agenciamento celular e seguirão viagem em busca de novas associações.

Mesmo nesse lugar, onde o efêmero da matéria e o transitório da vida esbofeteiam a cara do mais chucro, lugar onde as hierarquias sociais — e suas distinções simbólicas — deveriam ruir em seus fundamentos, pois é aí mesmo que superdoutores, simples doutores, doutores residentes, enfermeiras-chefes, enfermeiras subalternas, técnicos de enfermagem desfilam com a empáfia autorizada e cobrando a cada passo a reverência que lhes é devida.

E toda essa engrenagem de superioridades e inferioridades acaba funcionando bem, nas 24 horas dos sete dias da semana. Com o aplauso tácito dos de cima e dos de baixo, reproduzindo a obviedade das posições de cada um e convertendo em corpo e segunda pele os ritos de interação.

Em nome da distinção, tudo contribui, até o último suspiro, para fazer ignorar sua natureza atômica comum.

Condição de participarem, em cada um de seus atos, de uma teatralização farsesca, para a qual ensaiaram a vida inteira, em personagens de adulação e submissão, que modulam com grande precisão suas posturas, seus timbres de voz, suas palavras, seus tempos de cena.

O papel dos doentes fragilizados dociliza essas últimas cenas que — desde a maternidade — só lhes autorizou assistir, contemplar e reverenciar o triunfo do outro e o exercício inevitável de seus poderes.

Ali mesmo acabam se desintegrando. Eles dizem morrendo. São desovados pela porta dos fundos. *Output* em forma de necrotério.

Sabem que vão se desintegrar. E se vangloriam disso. Estão convencidos de serem os únicos a sabê-lo. Gosto do verbo vangloriar-se. Porque entre nós, gatos, sabemos há séculos que toda glória é mesmo vã.

Fazendo as contas, há quatro tipos diferentes de humanos em relação à própria ignorância.

Há os que não sabem que nada sabem. Porque não sabem nem isso. Mas esses tampouco pensam saber algo. São ignorantes humildes.

Há os que sabem que nada sabem. São os sábios, tipo Sócrates e mais dois ou três.

Há os que acham que sabem o que não sabem. São ignorantes soberbos.

E há os superespeciais. Esses não só pensam saber o que não sabem, mas têm certeza de serem os únicos. São ignorantes soberbos e privilegiados. Como ficou longa a nomenclatura, alguns os chamam pelo apelido: elite.

Quando um humano se desintegra, os que conviviam com ele ficam bem amuados. Chega a impressionar.

Mas dura pouco. E se a tristeza do luto perdura, o coitado acaba se desintegrando também.

A maioria encontra logo com o que se distrair. Mas não pega bem entre eles se alegrar ligeiro demais. Há um tempo de sofrimento meio que obrigatório.

Embora saibam que há um fim do mundo à espreita para cada um, os humanos parecem não aceitar bem a desintegração.

São estranhamente apegados
às suas vidas tristes.

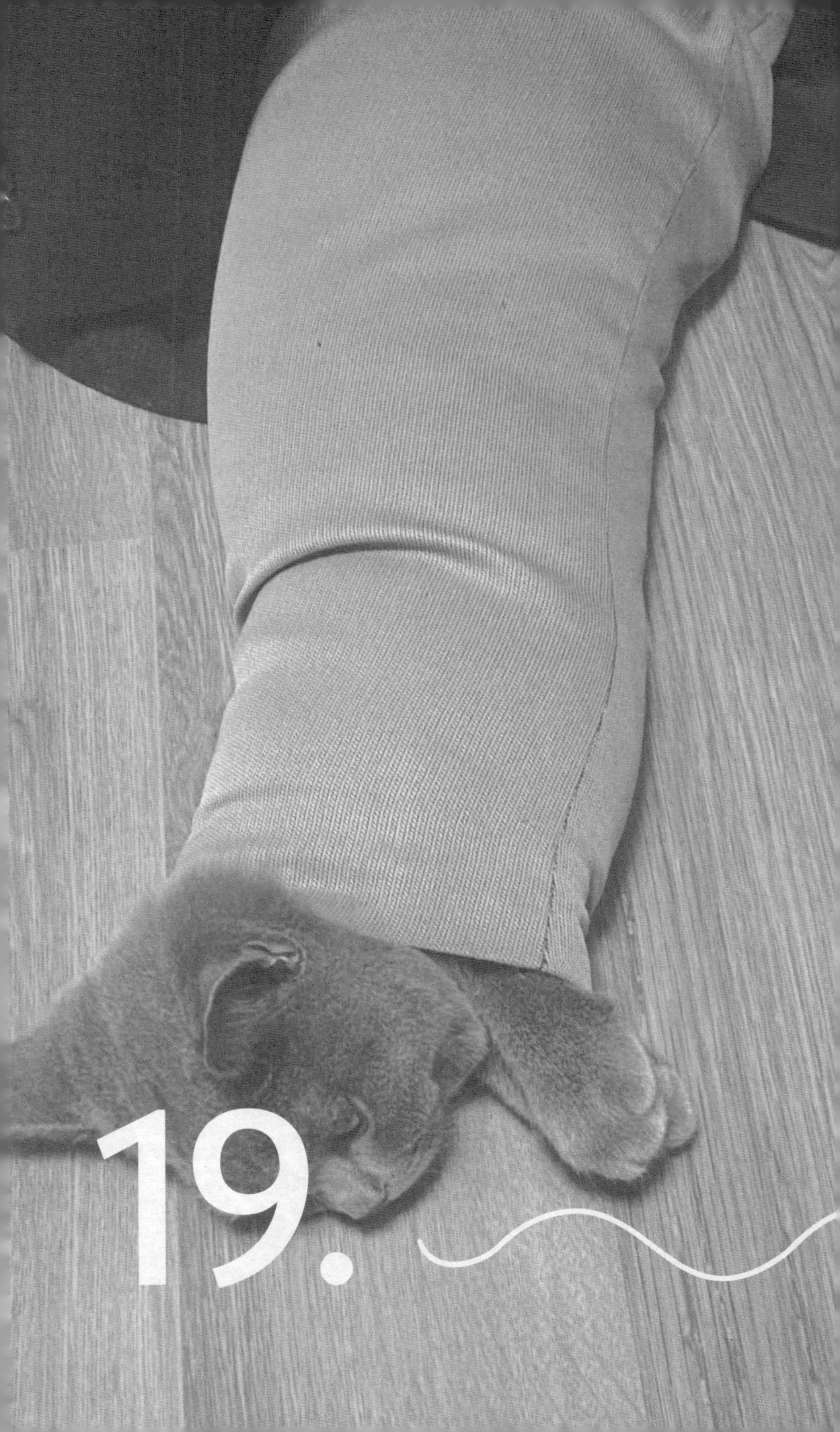

19.

Finalmente em paz

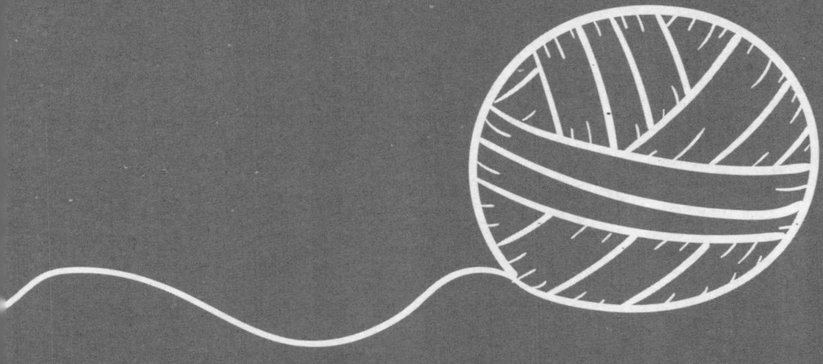

Humanos detestam passar a vida adiante.

Não entendem que tudo que acontece resulta de tudo que já aconteceu. E que, portanto, não adianta chorar. Melhor seria agradecer e regozijar.

Se tivessem humildade para aprender conosco, saberiam que é a Vida que nos usa, e não o contrário. Que Ela nos anima para melhor nos devorar. E que, quando já não damos mais caldo, Ela nos deixa sem remorso. Vai buscar carne fresca em outro canto.

Nós, gatos, sabemos que essa troca — da potência do instante pelo consumo que deteriora — vale a pena. Entendemos desde pequenos que é isso ou nada. Que a nossa vida é pujança e apodrecimento.

Estamos seguros de que esse pacto existencial é sempre bem-sucedido. Só se sente lesado quem não quer entregar a sua parte. Embuste vital. Querer aproveitar sem estragar. Brincar sem sujar. Usar sem usura. Viver sem morrer.

Por isso, nós, gatos,
não ligamos de nos desintegrar.
Afinal, o que seríamos sem a Vida?

Essa Vida que nos dá tudo também nos tira tudo. Nos faz viventes, alimentando-se das nossas entranhas. Precisa que nos desintegremos para seguir adiante.

Querendo ou não, oferecemos a nossa vida felina, com v pequeno, para que a Vida com V grande seja eterna.

O todo eterniza alimentando-se de suas partes. E cada uma dessas partes, por um certo tempo, ganha um vale-vida. Direito provisório, dado pela natureza, de viver.

Justo, não acham?

Claro que não há generosidade. Nem jantar de graça. A vida cobra seu preço. E nós também cobramos o nosso.

Os humanos mais ricos compram suplementos.

Ajudam a matar aquela primeira fome da Vida. Para que, quando ela chegue às nossas vísceras, já esteja menos faminta.

É como entupir a galera no churrasco com pão de alho ou linguiça para que comam menos carne. Entre humanos incautos e famintos, às vezes funciona.

Imagino que esses tais suplementos também possam funcionar ao contrário. Em vez de aplacar a fome da Vida, despertam ainda mais o seu apetite. Aumentam sua vontade de nos comer.

Tipo um superbolo de chocolate que fica ali durante toda a festa da criançada. Esses são os humanos, ainda não adultos, que costumam celebrar o passar do tempo segundo diferentes convenções. A mais comum é de ano em ano, contando a partir da data de nascimento.

Esquecem, ingênuos humanos, que a Vida ganha sempre. Não a de cada um. Essa dura o tempo de uma boa refeição. Refiro-me à Vida. Essa com V grande. A que se vai de nós mas nunca morre. Que sai correndo dos velórios para as maternidades.

Essa Vida ganha sempre.

Muitos humanos gostariam de conservá-la em si e para si.

Por ignorar que, embora os elementos fundamentais dos quais são feitos sejam eternos, a associação particular destes em corpos como o de cada um de nós, essa é marcada pela finitude. É temporal. Dura só um pouquinho. Em relação aos tempos da Vida, menos do que um piscar de olhos.

Os remédios são assim.

Quando reforçam de um lado, acabam baixando a guarda de outro. Eles chamam de efeitos colaterais. Se protegem contra a infecção, bombardeiam o fígado.

Contra o estômago e tome no fígado. Infecção na garganta. Terceira no fígado.

Fígado apodrecendo.

A Vida cobra a conta pela vida. Cada uma de um jeito. Haverá quem componha bem com pimentões verdes, mas que sofra agudamente com salada de alface. Outro careça de vermífugo na lua cheia, mas nunca no minguante. O que tem arrepios ao deitar-se no verão e suores frios nos dias mais tépidos. Há os que amarram as tripas por qualquer farinha e outros que se esvaem no vaso até de susto.

A Vida, às vezes, segura a onda deste ou daquele pedaço. Mas arrebenta com o resto. Longe de ser tonta, fica sempre à espreita. Esperando pelo pedaço de carne largado à mesa. Pela iguaria mais suculenta e dando sopa. O pedaço mais à mão para se satisfazer.

Remédios são assim. Quando é para o fígado, torna esse último menos apetecível para a degustação da Vida no banquete da nossa existência.

É como se disséssemos:

— Olha, o bife de fígado ficou meio duro. Eu, se fosse você, atacaria o resto, que está muito melhor.

Certa vez, um dos dois deixou cair uma cápsula no chão. Parecia uma ogiva transparente, meio amarelada. Com um cheiro de peixe bem atrativo. Mandei ver.

Eles tomam por um tal de ômega-3. Acreditam que retarda o apodrecimento. Com isso, a Vida ganha o que comer, e o vivente, algum tempo a mais.

É o que eles esperam.

A vida agradece. Tendo tetas
para mamar, segue mamando.
Com ou sem suplemento.

Quanto a nós, gatos, dormimos, copulamos, comemos e escravizamos humanos domésticos. Que se esfalfam para comprar nosso alimento requintado, seco e molhado, com pouco sódio e que vem de longe. Comprar também nossos brinquedos, nossos biscoitos, nossa água purificada e corrente, nossas cabanas, camas, almofadas, escovas, pagar nossos veterinários, psicólogos e adestradores.

Não gostou?

Mas é inexorável. Não dá para ser diferente. Humanos são campeões em não ver as coisas como são. Por isso inventam amores para sempre, moral, valores absolutos, santos, anjos e demônios.

Mas, para a natureza, a relação entre fortes e fracos, astutos e obtusos, ligeiros e paquidérmicos, é necessariamente o que é.

Nós, gatos, nunca suplementamos nada.

Para que, depois do tempo certo, definido pelo universo de que fazemos parte, o olho pisque de uma vez, a Vida siga seu rumo.

E nos deixe finalmente em paz.

20.

Justo Veríssimo

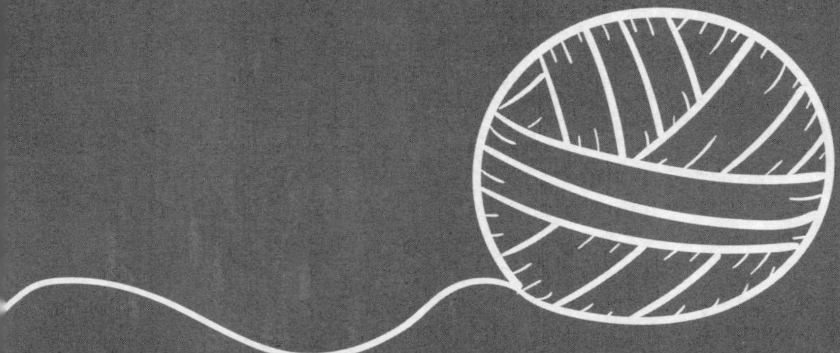

Nossa. Que indelicadeza a minha. Peço perdão. Já vamos pelo vigésimo capítulo e ainda não apresentei os meus bichinhos.

Como já disse, tenho dois humanos. Formam um casalzinho. Se procriarem, tenho muitos amigos na fila.

Um ponto negativo desses miudinhos é que o desmame está levando uns trinta anos. E nós, gatos, só vivemos, em média, a metade desse tempo. São duas gerações dos nossos para eles conseguirem ficar donos de seus narizes. Por isso reservamos os filhotes deles para os filhotes dos nossos filhotes.

Os meus são Mirthes e Miguel.

Esses nomes são dados pelos pais.

É bem engraçadinha essa história dos nomes. As crias ainda no bucho e eles já discutem como cada um vai se chamar. Dão a isso uma enorme importância. Vão usar esse nome para tudo.

Nós, gatos, entre nós, não temos nome. E essa informação não é mera curiosidade. Diz muito sobre o nosso modo de viver.

Quem precisa nos nomear são eles. Os humaninhos. A mim, como você deve ter deduzido desde a capa, me chamam de Epaminondas. Epaminondas Badaró.

Eu gosto desse nome. É longo. Demora para chegar ao fim.

Quando chegam, já arrefeceram. Perderam o ímpeto. Deixaram para lá. Relativizaram a importância do que esperavam. É um nome de sabedoria.

Também me chamam de Epa. Esse nome que não é o nome mas que é outro nome diferente do nome oficial é o nosso apelido. Também gosto do meu. Epa.

Acho diferente dos outros. Parece indicar alguma surpresa ou espanto. Desde os mais triviais aos mais elaborados.

Epa! Posso saber o que este pacote de bolachas está fazendo em cima do sofá?

Espanto. Para muitos, a faísca que deu origem a toda a filosofia.

Tal como o espanto diante do mundo. Ou da própria existência.

Tenho sempre a impressão de que Epa! cai muito bem para dar início a grandes questões.

Epa! Onde estou?

Epa! Por que existo?

Epa! O que é isso que chamam de mundo? E o que estou fazendo dentro dele?

Ou ainda...

Epa! Por que existe tudo isso, eu inclusive, ao invés de não existir nada, simplesmente?

Eu ia dizendo que nós, gatos, entre nós, não temos um nome pelo qual nos identificamos. E que isso é mais do que simples curiosidade. Tem a ver com nossos valores. Com o que consideramos importante de verdade.

Em geral, damos muito mais importância ao todo, ao mundo da Vida, do que a nós mesmos, enquanto indivíduos.

O mais particular que nos interessa é a espécie. Disso fazemos questão. Somos gatos. É isso que importa. O que significa não ser planta, gafanhoto, elefante, girafa, cabrito e, sobretudo, não ser cão.

A vida de cada um de nós está a serviço da nossa espécie. Todo o nosso esforço busca a sua preservação. Talvez o mesmo aconteça com eles, os humanos. Mas estão longe de ter consciência disso. Pelo contrário.

Estão convencidos de que o sucesso, o fracasso, a vitória, a derrota, o infortúnio, a sorte, enfim, tudo, mas tudo mesmo, é uma questão pessoal. Quando muito, coisa de um pequeno grupo. Mas nunca, nunca pensam na humanidade.

Aproveito para homenagear um grande humano. Chico Anysio. E seu inesquecível Justo Veríssimo.

— Quero que se exploda!!!!

Nem mesmo quando vivem uma pandemia, e morrem aos milhares, continuam tomando decisões estritamente pautadas pelo mais adequado para si mesmos ou para o grupo a que pertencem.

Nós, gatos, somos muito diferentes deles.

Se reproduzimos, não é para dirigir às nossas crias nossos afetos. Satisfazer nossas carências. Ter uma nova chance. Conseguir uma revanche com a vida. Terceirizar nossos desejos, expectativas, nada disso.

Nossos filhotes são nossa maior contribuição para que a gatidade não desapareça.

Por isso sabemos bem que, quando nos sentimos atraídos por algum gato, isso nada mais é do que a nossa natureza nos indicando a cópula mais potencialmente fértil. Em nome da gatidade, novamente.

Para nós, almas gêmeas são corpos bem-dispostos a proteger a espécie da qual fazem parte. Amor e paixão são sinais naturais sobre o que a nossa espécie espera de nós.

Por isso, somos todos gatos. Nada mais do que isso. Todo sucesso ou fracasso será sempre de todos nós.

Eita. Olha eu de novo, deselegante.
Não é porque não temos um nome
que os humanos não podem ter
o deles, não é mesmo?

Mirthes e Miguel. Pronto.

Ah. Eu acho que já tinha dito.
Não lembro mais.

21.

Resta-lhes o conflito

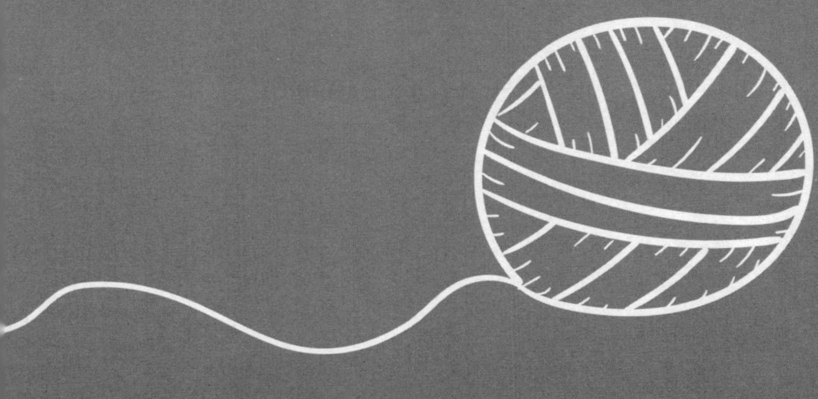

Mas atenção!

Se para os humanos o passado, com suas ocorrências e suas datas, com suas narrativas e relatos, conta muito na hora de definir a humanidade, para nós o que importa é o imediato da vida.

O passado é o real que já foi.
E que já não é mais.
E, portanto, não é.

O que é são lembranças. Mas essas são presente. São no presente. Como tudo que é. O presente das lembranças nega o passado. Denuncia seu desaparecimento. Porque o rio da história passa por terras distantes do viver.

No passado não há falsidade. O passado, enquanto passado, esse é verdadeiro. Verdadeiro em definitivo. Por toda a eternidade. Escrito nas estrelas, como querem os poetas de ocasião.

No passado só há verdade.
Sem potência e sem ato.
É o verdadeiro que perdeu
sua realidade.

O mesmo não se pode dizer dos discursos humanos a seu respeito. Humanos falseiam o passado. Porque têm interesse em reconstruí-lo de um certo modo que lhes seja vantajoso.

Se o passado é um só, relatos tendem ao infinito. E todos eles asseguram lhe corresponder, denunciando seus concorrentes. Incomodados com a pluralidade que escancara o embuste.

Resta aos falsários o conflito. Que se divirtam.

Nós, gatos, não temos memória. Tampouco lembranças. Nem individuais, nem coletivas. Não enfraquecemos, portanto, a vida pensando na morte da bezerra. Nem que quiséssemos.

E não acabou. Continue atento!

Quando os humanos falam em humanidade, também se referem a projetos, conquistas futuras, metas, resultados, pretensões, ambições, projeções e tudo o mais que antecipam na mente a respeito da vida que está por vir.

Pois bem. Essa inclinação para o futuro, o chamado devir, ou vir a ser, tampouco faz parte da nossa vida.

Alguns humanos, inspirados no nosso jeito de viver, empunharam bandeiras de "*no future*". Acho divertido. A própria iniciativa de alguns de estabelecer junto a outros como deveriam ser as suas vidas já implica algum futuro.

Explico-me melhor.
O que pode estar por trás
de uma camiseta com dizeres
negando o futuro?

Algo do tipo:

— Você que leva uma vida estúpida, subindo degrau a degrau em algum tipo de carreira, com promessas de felicidade reservada aos degraus de cima, passe a viver, a partir de agora, regozijando-se no agora e do agora. Desfrute onde está. Onde quer que esteja.

Ora, esse passe a viver implica justamente a negação do que acontece em nome de um vir a ser diferente. Uma consagração do futuro, portanto. Ainda que pela sua negação.

Cada um de nós, gatos, está, sempre, em cada instante de vida, completamente absorvido pela maravilhosa presença do mundo em si e pela maravilhosa presença de si no mundo. De modo que não temos uma clara consciência dessa nossa fronteira.

É como se vivêssemos num permanente tempo imediato de felino-mundanidade. De tamanha plenitude que dispensa lembranças e antecipações.

Quando um filhote gato pergunta ao pai, em um momento de medo, sobre como será a vida no futuro, ouve sempre o sábio ensinamento da natureza felina.

— Não se meta onde não é chamado. No amanhã vive a deusa lápide. Ela é fria e implacável com quem tenta encontrá-la.

Desejar que o amanhã ocupe o lugar do hoje exige desejar que o hoje, onde estamos junto ao mundo, ocupe o lugar do ontem. O que corresponde a querer abrir mão dele e da vida.

O mundo maravilhoso, se houver algum, só pode ser esse aí, bem na sua frente. Ele ficará muito triste se você só pensar no amanhã. Achará que você não gostou dele.

E como é nele que vivemos, com ele que interagimos e dele que fazemos parte, eu não acharia prudente desagradá-lo por tão pouco. Até porque, se ele resolver manifestar seu desagrado, sobrará bem pouco da nossa birra para contar a história.

22.

Carlos
não sei o que
de Andrade

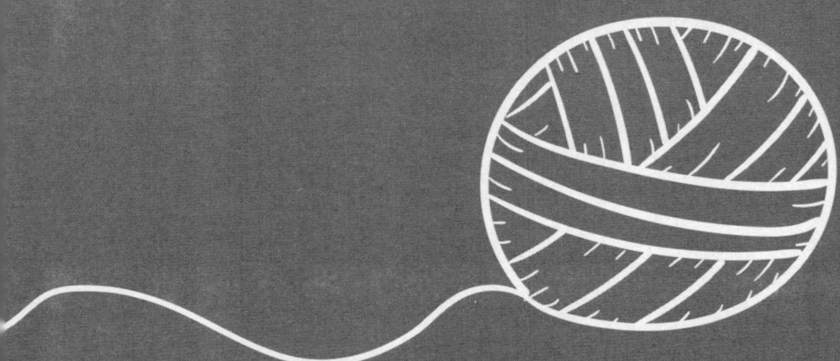

No meio do caminho tinha uma pedra.

Um poeta humano, com alma de gato, insistia nisso. E tinha razão. Acho que se chamava Carlos não sei o que de Andrade.

Esse "tinha" na frase do poeta corresponde a "havia". É o que o poeta queria dizer. Que uma pedra existiu ali. Mas não existe mais.

Referia-se a um agenciamento circunstancial e necessário de elementos fundamentais, objetivado num corpo sólido e particularmente rígido, que existiu, naquele lugar, por um certo tempo.

No instante da inspiração poética, a pedra já era. Os elementos que a integraram estão certamente por aí. Associados a outros elementos e fazendo existir outros corpos.

Viva o tal Carlos. Meus humaninhos Mirthes e Miguel, embora seus conterrâneos, ignoram a sua obra.

Pedras não se movem. Não por elas mesmas. Se um garoto as chutar, aí, sim, elas se moverão. Mas se ninguém relar nelas, ali permanecem. Na mesma posição. Impávidas. As pedras.

Inércia. Questão de permanência. De guardar posição. Ou de manter a mesma velocidade. No caso de corpos já em movimento.

Talvez por conta dessa tal de inércia, sempre acabe sobrando alguma no meio do caminho. Esperando por um bom chute. Que a ponha em movimento. E a retire do meio do caminho.

Mas como bem disse outro poeta, mesmo paradas, as pedras não duram para sempre. Podem desaparecer sem nunca ter mudado de lugar. Sem troca de posição.

É o ar que as engole. Roçando nelas o tempo todo. E comendo bem devagarinho. Fazendo desaparecer na miúda. Pelas beiradas. Demora que só. Mas acontece.

Espetáculo de percepção fina. Para apreciadores delicados.

Humanos, por exemplo, não enxergam o ar que come as pedras. Há hipótese estranha de, num átimo de flagrante do mundo, só haver ar. Para eles, acreditem, é como se não existisse nada. Digo, visualmente.

Tanto que, na escola, os miúdos precisam fazer experimentos para provar que o ar está lá. E, por conta da sua presença, não caber outra coisa em seu lugar. Deduzem que o ar existe. Sem poder vê-lo.

Os vizinhos improvisaram um pequeno pistão para tentar comprimir o ar e mostrar para seus filhos que, embora não conseguissem ver, havia algo lá que impedia a compressão completa.

Sei que vocês que me leem — os que não são humanos — estarão surpresos, consternados e atravessados pela comiseração.

Deve ser mesmo muito duro viver nessas condições. Com recursos visuais que não dão conta de flagrar nem sequer o ar que respiram.

Por isso muitos deles não entendem o fluir ininterrupto de todas as coisas.

Só depois de anos se dão conta de que envelheceram. Surpreendem-se com as mudanças na própria pele. As rugas. As crateras no rosto. E chamam de "acabado" quando é na pele dos outros.

Nós, gatos, vemos o que está acontecendo. Instante a instante. Para nós, o gerúndio existe.

Humanos, por sua vez, estão condenados a constatar resultados. Para eles, o mundo é só um efeito. Um resultado. O durante sempre lhes escapa. Não veem o estrago acontecendo. Constatam, só depois, o apodrecimento. Pelo que sucedeu na vítima. Mas não enxergam o causador causando.

Por isso, para humanos, o mundo nunca está sendo. O que lhes joga numa perplexidade devastadora.

Para o ser poder ser, sem já ter sido, fazem de conta do que é só uma ideia, uma essência, uma abstração.

Porque a pedra que os miúdos chutam, até os mais abilolados percebem que deixará de ser um dia. E aí, são obrigados a aceitar o deixar de ser junto com o ser. O que leva mesmo qualquer um para o hospício.

Para que um humano possa integrar genuinamente em sua experiência o gerúndio, do que vai sempre se tornando, é preciso que uma coisa bem visível encontre outra de mesmo porte. Tipo um carro que se choca com outro.

Só nesses casos o mundo está em vias de acontecer.

De todo o resto, só se dão conta quando já foi. São fúnebres. Vivem do que aconteceu. Analistas do pretérito. Dissecadores de cadáveres.

E ficam se lamentando. Peguei uma gripe. Peguei frieira. A taxa de açúcar se elevou. Fulano de tal morreu.

Nunca o mundo estará em vias de acontecer. Absurdo lhes seria cravar algo do tipo: estou pegando uma gripe! Minha glicemia está se elevando.

Pelo que dizem os meus humanos, deduzo que a experiência visual do ar que eles podem vir a ter depende de condições muito especiais. Como no caso de muita poluição, e de longe. Ou aqueles ventos muito bravos, que dão volta atrás do próprio rabo.

Talvez tenha faltado um esclarecimento. Dessas obviedades que, de tão evidentes, acabam passando desapercebidas para muitos.

Há, entre os viventes animais, quem veja o ar mui distintamente. Para que o leito*r* humano possa entender também: há animais que veem o ar com a mesma clareza com que eles veem a água do mar.

Para nós, gatos, o ar é visível. Bem visível. O tempo todo. E colorido. Não é verde ou azul como são os oceanos. Mas oscila entre o lilás clarinho e o prata. Acho que tem um pouco dos dois.

Por isso também enxergamos seus movimentos. Lentos, muitas vezes. Mais rápidos noutras. Ventanias, então, são lindas de apreciar.

23.

Movimento por conta própria

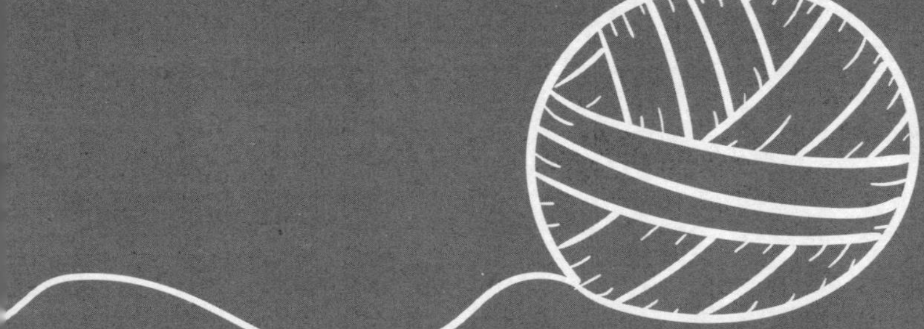

Para começo de conversa, um gato se move. E por conta própria. Não precisa, como a pedra do poeta, ser chutado para sair do lugar.

Claro que muitas vezes nós, gatos, também somos chutados. Seja porque, carinhosos e conviviais que somos, nos metemos entre as pernas de bichos maiores. Seja porque alguns bichos humanos divertem-se chutando gatos.

Quando isso acontece, nós também saímos do lugar que estávamos ocupando, movidos por uma força externa.

Fico aqui matutando:

Como será que uma coisa entra em movimento por conta própria?

E por mais que eu reflita, não consigo encontrar uma explicação que me satisfaça.

De novo. No caso da pedra, está claro. Para que ela se movimente, é necessário que um outro corpo, exterior a ela, a ponha em movimento.

Mas nós, gatos, nos movemos por nossa própria conta. Não precisamos de nada mais. Nenhum empurrão ou choque.

É verdade que os humanos também se movem por conta própria. E, para mim, o problema é o mesmo. Não consigo explicar nem o movimento deles nem o nosso.

Sempre ouvi dos nossos mestres que todo movimento resulta da intervenção de um pedaço de mundo sobre outro.

Fico olhando um humano se levantar da cadeira e não me conformo. Eu mesmo, quando tenho de sair na carreira para o areal onde defeco, por ter subido na mesa onde eles comem e ingerido o que não devia, desloco-me em alta velocidade sem que ninguém me empurre.

Não consigo entender direito o que nos põe em movimento.

Outro dia fiquei pensando que talvez seja essa a fronteira entre os viventes e os não viventes. Os primeiros se movem por conta própria. Os segundos, só com um pontapé.

Logo imaginei um chato de um humano, metido que só, ponderando: plantas são viventes e não se movem.

Só porque ele quer. Eu sempre digo. Humanos estão sempre alguns passos atrás. Mesmo aqueles que veem bem não conseguem enxergar. São autênticos zumbis diante das coisas.

Como assim, as plantas não se movem?

E, claro, não estou falando do vento balançando os galhos. Nada disso. Porque nesse caso voltamos ao caso das pedras e dos pontapés.

As plantas se movem mesmo como nós. Por conta delas.

Ou esse tonto nunca viu um ramo de samambaia desenrolando? Delicado que só!

Sim. A vida é movimento por conta própria.

Mas aí, eu pensei:

Talvez todo movimento precise mesmo de um pontapé. Só que, no caso dos viventes, esse pontapé viria de dentro, não de fora, como no da pedra.

Nós, gatos, somos constituídos de um corpo único. Os outros animais também, é bom que se diga. Mas, pensando bem, isso não vem ao caso.

Se, por acaso, você achou a constatação óbvia demais, é porque não sabe ir do flagrante cru do mundo observado às mais argutas e elaboradas articulações.

Voltando. Esse nosso corpo constituído de uma extensão que não se interrompe, ele se move, aparentemente, sem nenhum impulso externo. Certo?

Agora, quando, por alguma razão, esse todo unitário é aberto, só para ver o que tem dentro, coisa de gente bisbilhoteira e enxerida, ou com o pretexto de nos curar se ainda estivermos vivos, ou de achar algo que ainda preste, no caso de a vida nos ter deixado, observam que ele é constituído de muitas partes.

Acho que estou entendendo o que acontece.

Uma dessas partes golpeia a outra e a põe em movimento. Essa, por sua vez, porque foi posta em movimento e, portanto, deixando de ocupar a posição original, acaba golpeando uma terceira que também se põe em marcha. E assim por diante.

Em pouco tempo, são tantas partes em movimento que o corpo todo acaba por se movimentar. Trata-se de uma ação em cadeia. E o movimento do corpo que se vê de fora é o seu resultado visível. Resultante dos muitos movimentos internos de suas partes.

Tem-se a impressão de que aquele corpo que está se movendo também é a causa do seu próprio movimento. Mas não é exatamente isso.

Quer dizer, é e, ao mesmo tempo, não é. Olhando de fora, sim, é.

Mas vendo o que acontece de dentro, vemos que são partes movimentadas do exterior por outras partes que, em relação ao corpo do todo, constituem uma coisa só.

Podemos então concluir que nada pode ser causa de si mesmo. Nem do próprio movimento. E, se puder, esse, sim, mereceria ser tratado de Deus. Que é o motor original que impulsionou primeiro e pôs o todo em movimento.

O certo é que, como sempre acontece, é de fora que vem o tranco para que aquilo se ponha em marcha.

Bem, resolvido esse problema, voltemos à nossa reflexão sobre o que distingue a pedra do gato.

Essa definição de vivente como aquilo que, por intermédio das partes que o constituem, se move por conta própria ainda não satisfaz. Alguns humanos, engenhosos que são, fizeram máquinas que, como eles, se movimentam por conta própria. E essas máquinas não são coisas vivas.

Por isso eu continuo encafifado. O que mais seria competência exclusiva de quem vive? Voltemos à nossa observação dos viventes de carne e osso distraídos pelo mundo.

Já sei. Alimentar-se. Todo vivente precisa, de tempos em tempos, para continuar vivo, de alimento proveniente do mundo.

Pois é. Mas as tais máquinas que saem do lugar também precisam de alimento. Como a gasolina que põe o carro em movimento.

Verdade. Mas não é a mesma coisa. Porque o alimento do vivente passa a integrar, ao menos em parte, o seu corpo. Por isso cresce e se desenvolve. O que não acontece com a máquina.

Então, se dissermos que um vivente como nós, gatos e humanos, é uma coisa que se move por conta própria e ainda por cima incorpora o mundo que o alimenta, teremos colocado as máquinas no seu devido lugar.

Verdade. Mas tem mais. Os viventes se reproduzem. Desde as células. Nas mitoses e meioses. Um vira dois, três, dez, vinte. Já viu uma ninhada de gatinhos? É uma belezura.

Sem falar nas plantas. Brotam sem parar. Às vezes elas dão a impressão de que a vida enjoou delas. Ficam só o toco. Mas eu raspo aquela casca velha com a minha unha e vejo que é tudo encenação. O caule verdinho está cheio de vida. Só fingindo. Dissimulado pela secura hostil daquele invólucro inóspito.

Em pouco tempo acaba mostrando a sua cara. A natureza é espetáculo em vários atos. É só esperar o tempo certo.

A vida daquela planta faz nascer mais e mais planta. É outra belezura.

Eita. Agora, sim, está ficando melhor essa nossa definição de vivente. Toda coisa que se move por conta própria, cresce ao se alimentar e se reproduz.

Ah. E se serve das outras coisas não viventes no meio do ar, entre o lilás clarinho e o prateado.

24.

Harpistas, corneteiros e hipócritas

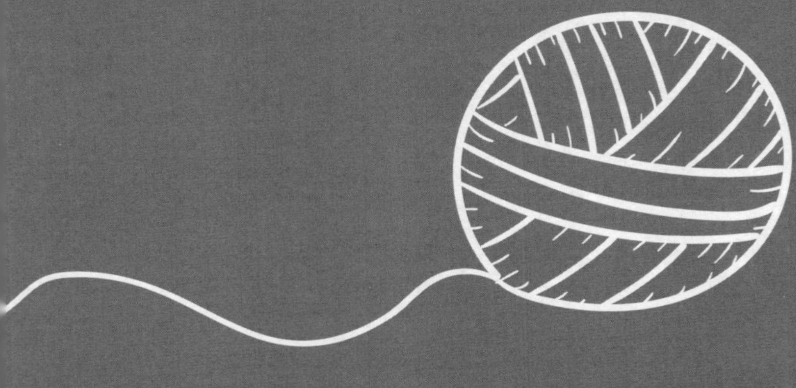

Alguns viventes são como nós, os gatos.

Estando plenamente em seu presente, deixam-se afetar em duração simultânea ao estímulo do mundo. Tal como uma corneta, que soa enquanto há sopro.

Estando na presença de alguém, fazem-lhe todas as honras. Alegrias e tristezas, na sua plenitude, a lhes render homenagens. Por outro lado, no preciso instante em que esse alguém se vai e se vê substituído, leva consigo todas as emoções que se despertaram. Será o novo real a lhes afetar. Também plenamente. Sem resquícios em defasagem.

Nem todos os viventes sentem desse modo. Como cornetas.

Outros, como o cão, sentem como cordas de uma harpa. Por muito mais tempo do que o dedilhar que lhes deu causa.

Nesse caso, o mundo já saiu dali faz tempo, e continuam fazendo festa ou desfilando suas mágoas. São muito apegados ao que já foi. Ao que sempre tiver sido. Consideram-se fiéis por isso. Por respeitar o que não é mais em detrimento do que é.

Há, em terceiro lugar, os que ora tocam harpa, ora corneta, mas que costumam mentir sobre o que sentem. Quando amam muito, negam. Quando sentem pouco, não param de dizer que amam. Esse tipo de sentimento é coisa de bichos humanos. Confusos e quase sempre mentirosos.

Como gato, não tenho dúvidas da superioridade existencial da corneta sobre a harpa e sobre a hipocrisia. E para conferir algum lirismo à minha argumentação, proponho-lhes uma narrativa.

Nada tem a ver com relatos de vidas vividas. Porque, como já sabem, nós, gatos, não temos memória. Isto que estão por ler é 100% criação de agora mesmo.

Como só poderia ser.

A história que elucida cornetas e harpas e põe fim a este livro é de uma cadela. Linda que só. Nosso problema com os cães não nos impede de reconhecer-lhes a beleza, quando, claro, há alguma.

Essa tinha pelo marrom bem comprido. Levemente alaranjado. Um tom próximo do pelo de alguns humanos, os "ruivos".

Seria belíssima, se tivesse sido outra sua vida. Mas as orquestrações do acaso rebaixaram a própria aparência ao nível zero de relevância. Abaixo até do desdém, do escárnio e da ironia. Aquele sobre o qual nunca se cogita. Nem mesmo para destacar, por contraste, a futilidade dos mais formosos.

Naquele final de tarde, a nossa cadelinha corria perturbada de um lado para o outro. De inopino, estancava e olhava para todos os lados. Com aquele olhar que atravessa, buscando para além do mundo.

O que de tanto valor estaria procurando em tamanha aflição?

Deixara seu humano solto por um único instante e acabou por perdê-lo de vista.

Alguns cães conduzem humanos cegos. Outros conduzem humanos que enxergam. Era o seu caso.

Cadela de pelo marrom, levemente alaranjado, linda que só.

Havia horas vasculhava tudo. De raro em raro, desacorçoada, deitava-se. Ali mesmo, na calçada. Bem atrás do Conjunto Nacional. Na Alameda Santos. Entre a Augusta e a Padre João Manuel. Seu pensamento, estapeado pelo desespero, ia aos solavancos, sem clareza nem destino.

Tentava se lembrar passo a passo do que vivera naquele dia. Quem sabe não acabaria achando, nos becos menos iluminados da memória, a razão daquele sumiço.

Naquela manhã, seu humano, o Nesga, que, para viver, solicita a caridade em tiquinho do que é dos outros, gritou por ela, como fazia todas as outras manhãs.

— Solera!!!!!!!

Esse Solera é com o "e" do meio fechado. A ênfase é toda em cima dele. Sílaba longa de tirar o fôlego. O So e o Ra eram curtinhos e engolidos. Mal se escutavam.

Era o sobrenome do melhor amigo, o Macuco, morto de graça num tiroteio entre as forças do Estado e as forças do tráfico.

Já expliquei que os humanos têm essa mania. Precisam identificar tudo com as palavras. E dão nome a cada unidade de vivente que se move.

— Solera!!!!!!

A cadela esticou o pescoço e já sabia que era hora de levar o Nesga ao trabalho.

Tudo naquele dia parecia igual ao que se passava sempre.

A carona era na carrocinha do Ernesto. Amigo de infância e de fazer xixi cruzado do Nesga, catava e revendia papelão para não morrer de fome.

No deslocamento diário a caminho do trabalho, revezavam empurrando. Duas hastes de madeira sustentavam a carroça, onde os papelões iam sendo ajeitados.

No meio delas, o humano, ocupando em desalinho o lugar do quadrúpede, promovia o deslocamento, conferindo movimento ao todo.

E Solera ia de camarote, linda que só, com seu pelo marrom comprido, mais pro alaranjado, radiante sobre os papelões.

Vinham do centro. Moravam os três, ela, o Nesga e o Ernesto, embaixo do Minhocão.

Para os que não são da cidade, esse Minhocão é um imenso e horripilante viaduto suspenso que vem da Barra Funda e termina no começo da Radial Leste.

Lambendo de lado as janelas dos apartamentos mais próximos, o monstro de cimento tira o tédio e o silêncio de seus moradores durante todo o dia. À noite, algum abençoado vereador, apiedado pelo suplício da vigília eterna, determinou seu fechamento.

Subiam juntos a Brigadeiro. Nome com que os íntimos chamam a avenida Brigadeiro Luís Antônio. Dali, Ernesto seguia em frente, a recolher a mercadoria desprezada pelos pomposos da Zona Sul, enquanto Solera e o Nesga viravam à direita, na Paulista.

Dali até o Conjunto Nacional, local diário da mendicância, era mais um tirinho de um quarto de hora.

No final do dia, encontravam-se os três por ali mesmo. E desciam juntos a Consolação, de volta para casa. Na frente do cemitério, todos os dias sem falha, o Nesga repetia a mesma ladainha:

— Um dia vamos tirar a sorte grande. E seremos enterrados juntos, na cova dos que não viveram.

E não é que agora Solera, linda que só, com seu pelo longo e marrom, levemente alaranjado, tinha perdido o humano com quem vivia e que, todos os dias, conduzia ao trabalho?

Por onde teriam passado?

Estava exausta. Combalida. E devastada. Sentia-se responsável.

Como dois animais indefesos, moradores de rua, indigentes e bípedes haveriam de se virar naquelas ruas cheias de gente hostil a tudo que não lhes pareça?

Foi quando, das brumas meio claras, meio escuras do crepúsculo e da desesperança, ele apareceu.

Era um homem de meia-idade, ótima aparência e muito compenetrado no papel de pai.

Aproximou-se de Solera com ternura, acompanhado de uma humana que já não era filhote, mas que ainda não se encontrava completamente formada. Uma menina, como eles dizem. Provavelmente sua filha.

Ameaçava chorar. E repetia: "Leva vai, pa, leva, pa". Parecia muito desejosa daquilo que solicitava.

O pai era bicho do lugar. Humano convencido da semelhança de Deus com ele. Vestido como muitos outros daquele pedaço de mundo. Agachou-se com jeito jovial e esportivo, apoiando-se apenas nas pontas dos dedos dos pés e conservando os calcanhares elevados.

E, dirigindo-se à cadelinha, linda que só, perguntou se estava sofrendo.

Pediu-lhe para que ela o conduzisse até a sua casa.

Solera, vendo o choro da filha, condoeu-se. E decidiu ajudar aqueles dois enquanto não descobria um jeito de encontrar o Nesga e o Ernesto.

O pai pegou Solera no colo. A pobre já não concatenava as patas. A filha saltitava de alegria.

Entraram numa carroça muito grande. Foi a primeira vez de Solera do lado de dentro. Era branca. E tinha um espaço atrás, aberto no tempo, onde devia caber muito papelão.

Solera empinava o pescoço para ver quem estava empurrando. Mas não conseguia ver ninguém.

No caminho, a cadela, linda que só, de pelo marrom levemente alaranjado, não tinha ideia do que lhe sucederia daquele dia em diante.

A menina, feliz de doer e com o rosto ainda molhado, a abraçava, beijava e acariciava com delicadeza de quem faz cócegas em axilas de borboletas.

Dizia coisas de grande contentamento. Sabia-se alegre. E conhecia bem a causa da sua alegria. Por isso amava, amava muito. Solera e o pai, que consentiu em trazê-la.

Uma gota brilhante de azedume atravessou-lhe a alma. Costuma acontecer quando a felicidade transborda a xicrinha.

— O que dirá a mãe?

Era humana arisca, ainda selvagem. Não se deixara domesticar por nenhum bicho até então.

Bem. O pai devia saber o que estava fazendo. E depois Solera saberia como educá-la sem trancos bruscos.

E ainda teve um tempinho para se perguntar antes de descer da carroça branca:

— Qual será a graça de ter um Jardim Europa só para si, sem ter pessoas diferentes e interessantes para encontrar a cada visita?

A cadelinha, uma vez em pleno jardim, ainda tímida, tudo contemplava boquiaberta. Medindo com régua trêmula o tamanho da contrapartida esperada.

Sabia bem que, no mundo de alguns humanos, generosidade é coisa de textos filosóficos e religiosos.

Solera tornara-se o centro. Das atenções, dos carinhos, dos afagos, dos comentários, da vida.

Tanto que a primeira frase de todos que ali moravam, tão logo voltavam da rua, ainda com a porta em movimento, era sempre:

— Cadê a Solera?

Banhos e tosas regulares com tratador em domicílio, xampus do estrangeiro, talcos para as assaduras; veterinário, também em domicílio, para um *check-up* de Primeiro Mundo; psicólogo de não humanos para eventuais traumas sofridos na primeira fase da vida; nutricionista de não humanos para uma alimentação perfeita.

Ah. Tinha também personal de não humanos, para uma atividade física adequada e diária, incluindo natação e dança; roupas para as várias estações do ano; tratamento odontológico completo e um zelo especial para o hálito; e todo tipo de brinquedos, camas, casas, escorregadores, chocalhos, bolas, ossos e quinquilharias do estilo.

Se, até então, restasse alguma dúvida a respeito dos valores da família, com Solera tudo se esclarecera.

Para aquela gente, o mundo se partira em dois:

De um lado, tudo que dizia respeito à cadela, linda que só, de pelos marrons levemente alaranjados; de outro, o resto. Doravante sem importância alguma.

Os anos se passaram.

Solera aderira, de coração aberto, aos novos hábitos. Havia ganhado um companheiro, boa pinta de enjoar. De raça, estirpe, *pedigree*, campeonatos, troféus e modos.

Com ele tivera filhos. Nem assim abrira mão de sua soberania. Tampouco perdera sua majestade. A Solera era ela. Os outros, marido, filhos e afins existiam em relação a ela.

Num domingo de sol, ainda na primeira manhã, decidiram por um passeio no parque do Ibirapuera. A carroça já era outra. Trocavam todo ano, para não perder muito o valor, diziam. Mas sempre branca. Como tem que ser quando se é da alta ou taxista.

Humanos são assim. Precisam se enganar. Por isso, estão sempre atrás de alguma justificativa para o que decidiram fazer. Algo que soe razoável. Para eles próprios e para os outros, que pouco se importam.

Assim, em vez de aceitar sua frágil condição de dependentes — de novos consumos, distrações e divertimentos —, para suportar a triste vida que levam, encontram explicações, de sofisticação variada, para suas iniciativas.

Era preciso trocar o carro todo ano para não desvalorizar muito.

O dia estava lindo. Solera, que já não era uma infante, ainda arriscava uma carreira ou outra antes de exibir sua imponente língua de fadiga. A volta do lago era longa.

Quando já estavam a ponto de regressar, a cadela, linda que só, estanca o passo como cavalos pangarés em parques do interior, com a criança a bordo na primeira volta preguiçosa do alvorecer.

Solera vira o pescoço, reapruma o dorso, empina-se quanto pode e crava o olhar em alguma coisa do outro lado do lago.

Como que tomada por um temor de vida ou morte, arranca para refazer em segundos a mesma volta que levara mais de hora para completar.

A família, sem entender, chama por ela sem ser ouvida. Acompanharam sua carreira que margeava a água, com o próprio reflexo espelhado a disputar-lhe a frente. Foi lenteando, bem na altura de onde partira, só que do outro lado do lago.

Parecia reconhecer alguém sentado na grama. De longe, o que se via era um mendigo coberto de trapos.

Solera foi se aprochegando devagar até ser, enfim, notada. Esfregou seu dorso no braço daquele homem de ares nada amorosos.

Rosnou por dentro, angustiada, clamando por algum sinal de afeição. Alguma correspondência de afeto. Um reconhecimento que fosse.

Seus sons vinham do inferno de si mesma.

Ela não tinha dúvidas. Nunca as teria. Era Nesga. Odor do corpo, hálito, temperatura, tudo ali era do seu humaninho.

Aquele mendigo, seu humano de tantas horas e de tantos anos, deu-lhe as costas avexado.

Mas, sem nenhuma explicação, voltou-se devagar, atônito e transformado. Pôs-se a contemplá-la com extrema ternura, já com lágrimas nos olhos.

— Não pode ser. É você. É você. Não pode ser. Como você está linda! Não pode ser.

A cadelinha fora reconhecida pelo grande amor da sua vida. Sabia disso e latia com o peito rasgado de contentamento.

Os dois ficaram ali. Abraçados. Aos beijos. Incrédulos.

Só largos e estimados minutos depois, lembrou-se da sua atual família. Olhando para o Nesga, sem querer perdê-lo um segundo de vista, começou a fazer o caminho de volta e latir sorrindo para que ele o acompanhasse. Acabaram encontrando os outros humanos, do Jardim Europa, no meio do percurso.

Solera não parava de latir, empenhada em fazer as apresentações.

— É a minha Solera, a minha cadela — disse o mendigo soluçando e cheio de orgulho.

Todos entenderam tudo, rapidamente. Não haveria conflito.

De um lado, jaziam todas as compensações para a perda que se avizinhava. De outro, o mendigo, que não tinha nem nunca tivera nada. Por isso talvez, Solera não o abandonaria nunca mais.

Nesga prometeu aos adotivos abastados visitas regulares. Todos se despediram da cadelinha aos prantos, e esta retribuía lambendo um a um.

Aquele humano de bom caráter e afeição encontrara em Solera uma harpa, cujas cordas ainda vibravam por ele, quase uma década depois do macabro desencontro na Alameda Santos, ali bem atrás do Conjunto Nacional.

E quanto a ele mesmo, não sabemos o que lhe ocorreu durante todo esse tempo. Sem ser completamente harpa, e menos ainda simples corneta, com certeza Nesga era pobre demais de bens para deixar reduzir sua vida a uma triste ode à hipocrisia.

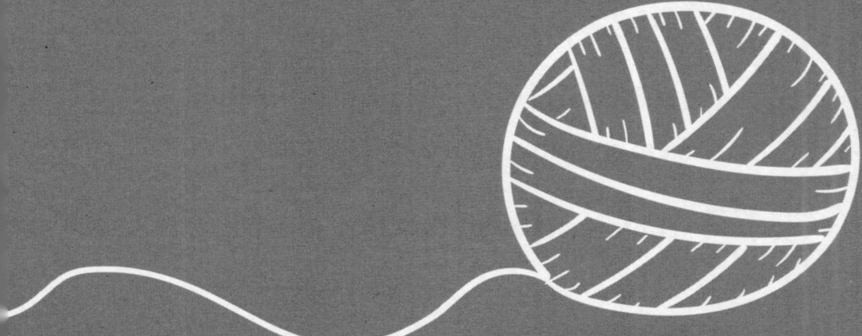